LA RÉDACTION DE RAPPORTS

Structure des textes
et stratégie de communication

DU MÊME AUTEUR

La rédaction de rapports. Cahier d'exercices
Sainte-Foy, Presses de l'Université du Québec,
1992, ISBN 2-7605-0681-9

La rédaction de rapports. Corrigé
Sainte-Foy, Presses de l'Université du Québec,
1992, ISBN 2-7605-0682-7

Théories contemporaines de la traduction, 2e édition,
Sainte-Foy, Presses de l'Université du Québec,
1989, ISBN 2-7605-0471-9

PRESSES DE L'UNIVERSITÉ DU QUÉBEC
Le Delta I, 2875, boulevard Laurier, bureau 450
Sainte-Foy (Québec) G1V 2M2
Téléphone : (418) 657-4399 • Télécopieur : (418) 657-2096
Courriel : puq@puq.uquebec.ca • Internet : www.puq.uquebec.ca

Distribution :

CANADA et autres pays

DISTRIBUTION DE LIVRES UNIVERS S.E.N.C.
845, rue Marie-Victorin, Saint-Nicolas (Québec) G7A 3S8
Téléphone : (418) 831-7474 / 1-800-859-7474 • Télécopieur : (418) 831-4021

FRANCE

DISTRIBUTION DU NOUVEAU MONDE
30, rue Gay-Lussac, 75005 Paris, France
Téléphone : 33 1 43 54 49 02
Télécopieur : 33 1 43 54 39 15

SUISSE

GM DIFFUSION SA
Rue d'Etraz 2, CH-1027 Lonay, Suisse
Téléphone : 021 803 26 26
Télécopieur : 021 803 26 29

Robert Larose

LA RÉDACTION DE RAPPORTS
Structure des textes
et stratégie de communication

2003

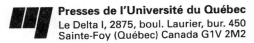

Presses de l'Université du Québec
Le Delta I, 2875, boul. Laurier, bur. 450
Sainte-Foy (Québec) Canada G1V 2M2

Données de catalogage avant publication (Canada)

Larose, Robert, 1950 – 1997

    La rédaction de rapports : structure des textes et stratégie de communication
    ISBN 2-7605-0680-0

    1. Rapports – Rédaction. 2. Sociétés – Rapports. 3. Communication écrite.
4. Rapports – Rédaction – Problèmes et exercices. I. Titre.

    HF5719.L37 1992   808'.06665   C92-096680-2

Nous reconnaissons l'aide financière du gouvernement du Canada
par l'entremise du Programme d'aide au développement
de l'industrie de l'édition (PADIÉ) pour nos activités d'édition.

1 2 3 4 5 6 7 8 9 PUQ 2003 9 8 7 6 5 4 3 2 1

Dépôt légal – 2ᵉ trimestre 1992
Bibliothèque nationale du Québec / Bibliothèque nationale du Canada
Imprimé au Canada

À Maximilien et à Félix

Écrire, c'est d'abord penser.

Table des matières

Liste des tableaux et des figures

CHAPITRE 3

Avant-propos et remerciements

Le présent ouvrage est le fruit d'une soixantaine de séminaires de rédaction de rapports que nous avons eu l'occasion d'animer au cours des quinze dernières années dans les secteurs tant public que privé, notamment auprès des membres des personnels de la Confédération et des Fédérations des caisses populaires Desjardins, de la Fédération des sports du Québec, de SNC, de Gaz Métropolitain, de la Commission de la santé et de la sécurité au travail, de la Société immobilière du Québec, du Service correctionnel canadien, du Groupe Mallette, de l'Ordre des ingénieurs du Québec et de la Ville de Montréal.

Il vise à permettre au lecteur :

1. d'organiser ses idées par écrit;

2. de les hiérarchiser en fonction d'une stratégie de communication;

3. de distinguer l'essentiel de l'accessoire;

4. de rédiger et de critiquer rapidement un rapport.

La rédaction de rapports : structure des textes et stratégie de communication s'adresse à toute personne appelée à produire des textes commerciaux ou administratifs (du simple compte rendu au rapport de recommandation) dans une *optique professionnelle.* C'est pourquoi l'étude des problèmes de rédaction de rapports a été abordée de façon pragmatique, c'est-à-dire en tenant toujours compte de l'importance de bien comprendre le mandat et les besoins des destinataires.

L'ouvrage est divisé en quatre chapitres portant respectivement sur la stratégie de communication, la structure des textes, les éléments du rapport et les principales autres formes de communication écrite. Il est accompagné d'un cahier d'exercices et d'un corrigé à l'intention du professeur.

Nous tenons en premier lieu à rendre hommage à M. Geoffrey Vitale, qui nous a fourni l'idée cadre de l'ouvrage : faire du plan l'instrument stratégique central du rapport.

Nous sommes d'autre part très obligé envers MM. Benoît Leblanc et Massiva N'Zafio, de l'Université du Québec à Trois-Rivières, qui nous ont fait bénéficier de conseils précieux, et nous adressons nos remerciements les plus vifs à Mme Guylaine Cossette, de l'Office de la langue française à Trois-Rivières, pour sa généreuse contribution à la mise en forme linguistique du manuscrit.

Par ailleurs, nous sommes très heureux de signaler nos obligations envers Mme Rina Tilkin, qui s'est chargée de toute la présentation matérielle et de la saisie du présent ouvrage.

Enfin, nous désirons exprimer notre gratitude spéciale envers M. Jean Orsoni, qui a assumé la révision finale de l'ouvrage, et avec lequel nous avons passé de multiples heures à discuter et à examiner les problèmes relatifs aux divers types de textes en circulation dans l'entreprise.

ROBERT LAROSE

Introduction

LE RAPPORT – DÉFINITION

Dans l'entreprise, un rapport consiste en un texte écrit dont la forme varie selon l'objectif du rédacteur et qui sert d'abord et avant tout d'instrument de prise de décision. Comme un rapport n'est pas destiné à servir de tribune personnelle, il ne faut pas l'utiliser pour faire l'éloge de soi-même (à moins que cela soit l'objet même du rapport...), mais y faire appel pour accomplir un mandat. De plus, on n'écrit pas un rapport pour soi, mais pour quelqu'un d'autre. Enfin, l'auteur ne doit pas choisir son thème par hasard, mais traiter d'un sujet particulier. Rédiger un rapport consiste donc à transmettre des informations précises à des destinataires précis en fonction d'un objectif précis.

Catégories de rapports

Ce n'est pas la forme des rapports (lettre, note de service, compte rendu, etc.), mais bien le type d'objectif de communication qui nous autorise à établir une distinction entre trois catégories de rapports : le rapport d'information, le rapport d'analyse et le rapport de recommandation.

Avant de commencer à écrire quoi que ce soit, le rédacteur doit d'abord déterminer si son objectif est d'informer le lecteur, d'analyser un problème ou de recommander une ligne de conduite.

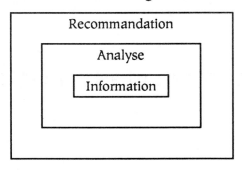

Si l'on adopte la perspective de la théorie des ensembles, c'est-à-dire la théorie selon laquelle tout ensemble est un sous-ensemble d'un ensemble plus grand, le rapport d'information est un sous-ensemble du rapport d'analyse qui, à son tour, est un sous-ensemble du rapport de recommandation. Autrement dit, un rapport de recommandation – soit un rapport où l'on recommande un mode de conduite, une solution à adopter, etc. – comporte nécessairement trois parties : une partie « information » (nommée généralement « historique » ou « situation actuelle »), une partie « analyse » et une partie « recommandation ».

Comme le milieu des affaires et de l'administration est un monde de rapports, c'est-à-dire d'instruments de prise de décision à partir de l'étude d'un problème ou de l'analyse d'une situation, il est inévitable que l'on soit appelé un jour à en écrire. Il serait sans doute plus juste de dire « appelé à communiquer efficacement par écrit ». Or, il ne s'agit pas là d'un simple atout, mais bel et bien d'une nécessité, car c'est sur ses rapports qu'on juge le gestionnaire, et son avancement en dépend.

CHAPITRE
1

La stratégie
de communication

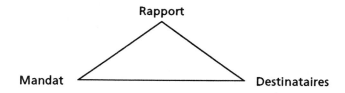

FIGURE 1— **Triangle de rédaction**

Tout rédacteur doit concevoir son rapport en fonction du mandat qui lui a été confié et des besoins des destinataires.

1. LE MANDAT

Le mandat que doit remplir l'auteur du rapport et la structure de ce dernier sont indissolublement liés. Si le mandat n'est pas clair dès le départ, le rapport ne le sera pas non plus. Toutefois, le mandant, c'est-à-dire celui qui confère un mandat à une autre personne, n'est pas le seul responsable du succès d'un rapport. Il incombe au rédacteur du rapport de lui poser toutes les questions pour cerner clairement le mandat. C'est par la suite que le rédacteur saura choisir le support matériel approprié : lettre, note de service, compte rendu ou rapport proprement dit.

Comment fait-on pour obtenir un mandat clair ? Il faut d'abord se poser certaines questions. En voici quelques exemples :

- Quel est le problème à résoudre ?
- S'agit-il *d'informer* le lecteur purement et simplement, *d'analyser* une situation ou de *recommander* une ligne de conduite ?
- Un travail semblable a-t-il été fait à l'intérieur ou à l'extérieur de l'entreprise ?
- La documentation (s'il y a lieu) est-elle aisément accessible ?
- Que faut-il quantifier ?
- Quelles personnes doit-on rencontrer et quelles questions doit-on leur poser ?
- S'agit-il de rédiger un rapport préliminaire ou définitif ?
- Le rapport est-il confidentiel ?

- Quand doit-il être présenté ?
- Peut-on déléguer une partie du travail à un ou plusieurs subalternes ?
- Dispose-t-on d'un budget de réalisation ?

La réponse à ces questions permet de circonscrire le mandat et d'augmenter ses chances de réalisation. À défaut d'obtenir une réponse *claire* à chacune de ces questions, le rédacteur peut faire parvenir au mandant une lettre sur la façon dont le mandataire comprend son mandat. Bien sûr, un tel procédé n'est applicable que si les échéances le permettent (si l'on ne dispose, par exemple, que de deux ou trois jours pour mener une étude, on sera obligé de s'en tenir à une confirmation orale) et n'est réaliste que si la structure organisationnelle ou l'état des relations avec le patron le permettent. Si, par exemple, on est « bon copain » avec ce dernier ou que l'on travaille en étroite collaboration avec lui, l'envoi d'une confirmation écrite risquera d'être mal accueillie.

La confirmation du mandat est censée comprendre tous les renseignements clés relatifs au problème (ex. : les ventes de la poupée Coco ont diminué de 28 % au cours des trois derniers mois), aux échéances (éléments qui influeront directement sur l'ampleur du rapport, donc sur le temps nécessaire à la rédaction), à la nature de l'intervention (préliminaire ou définitive), aux ressources mises en oeuvre (personnes ou documents à consulter) et au degré de confidentialité voulu (du travail de rédaction et du résultat des recherches).

Si le patron ne donne pas suite à la confirmation du mandat (« feedback » zéro), c'est qu'il sanctionne la démarche de l'auteur. En revanche, si le patron est en désaccord avec un ou plusieurs des points énumérés dans la demande de confirmation, l'auteur obtiendra une réaction immédiate qui évitera des dissensions une fois le travail terminé.

Le but de la confirmation du mandat est d'obtenir de la part du mandant 1. le « *feu vert* » pour entreprendre le travail et 2. une « *réaction* » immédiate sur la forme et le contenu du rapport.

[Date et lieu]

[Vedette]

Monsieur le Président,

À sa réunion du 15 juin dernier, le conseil de direction a abordé le problème de la communication des directives de l'entreprise au personnel de supervision.

À cette occasion, vous m'avez demandé d'entreprendre une étude du système de communication en vigueur dans un des services de l'entreprise. L'étude sera effectuée d'ici le 30 juin et le choix du service relèvera entièrement de ma discrétion.

Je tiens à vous remercier de la confiance que vous me témoignez.

Espérant que les résultats qui s'en dégageront permettront de faire ressortir certains points forts et points faibles du système actuel de communication, je vous prie d'agréer, Monsieur le Président, mes meilleurs sentiments.

[Signature]

Dans cette lettre succincte de confirmation de mandat, l'énoncé du problème apparaît au premier paragraphe; les limites et l'échéance du mandat, au deuxième. Si, entre le moment de l'attribution du mandat et celui de la lecture de la lettre, le président a changé d'avis au sujet de la date d'échéance, du caractère exploratoire du travail ou du choix du service, le rédacteur en sera alors immédiatement avisé. Le troisième paragraphe contient les remerciements, tandis que le quatrième, en plus des salutations d'usage, indique qu'il s'agira d'un rapport d'analyse. Nous verrons au chapitre 3 que le contenu de la confirmation du mandat correspond en gros à celui de l'introduction du rapport.

En général, le gestionnaire se voit confier un mandat pour résoudre un problème. Mais, à défaut de mandat écrit, comment parvient-il à circonscrire ce problème ? Quelles questions doit-il poser ? Imaginons qu'un client vous appelle à son aide. La première chose à faire sera sans doute d'en obtenir des informations précises sur la diminution des ventes, l'augmentation des coûts de production, les retards de livraison, etc., afin de situer le problème en fonction de données vérifiables et de mieux le circonscrire. S'il est possible de tenir des séances de remue-méninges (« brainstorming »), incitez les intervenants à poser le plus de questions possible... même si certaines d'entre elles semblent peu pertinentes.

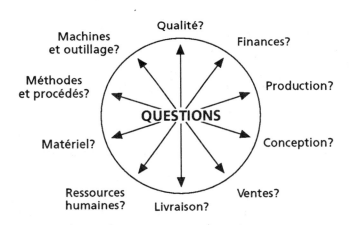

FIGURE 2 — **Comment circonscrire un problème**

Procédez à des regroupements. Bien qu'il n'existe aucun regroupement *idéal*, on ramène souvent le cadre de formulation d'un problème aux quatre arêtes du diagramme suivant :

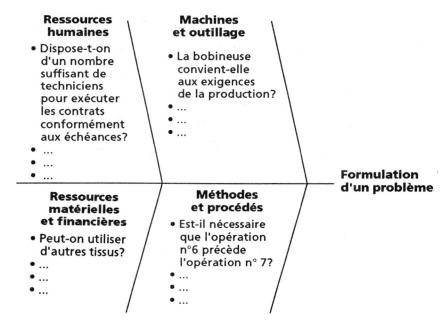

FIGURE 3 — **Arêtes de formulation d'un problème**

NOTA : *Le diagramme à arêtes peut non seulement être utile pendant une séance de remue-méninges visant à cerner les éléments d'un problème, mais aussi tenir lieu de diagramme de cause à effet.*

Il est essentiel de s'entendre avec le client ou le mandant sur la formulation elle-même et sur le but de votre intervention. Il arrive en effet que le but ne soit pas de résoudre un problème, mais simplement d'effectuer des améliorations.

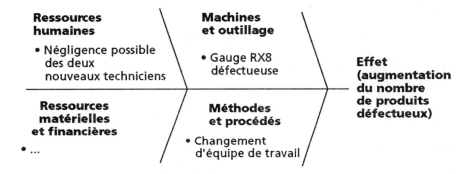

FIGURE 4 — **Diagramme de cause à effet**

Les arbres de décision représentent une autre façon de délimiter et de mieux visualiser un problème, en particulier s'il est complexe. Voici un exemple d'arbre de décision susceptible de s'appliquer à une demande de crédit adressée à la Banque du Québec pour déterminer si une entreprise qui souhaite emprunter serait en mesure de rembourser sa dette.

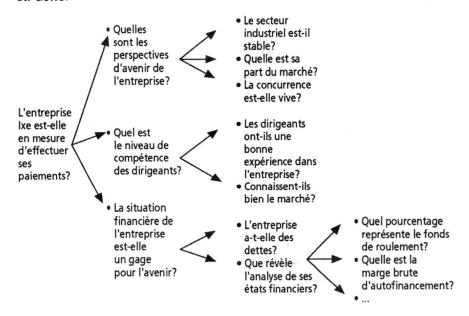

FIGURE 5 — **Arbre de décision**

Nota - *Comme dans le cas du diagramme à arêtes, l'arbre de décision (ou toute autre structure arborescente) peut servir à visualiser les relations de cause à effet :*

Faible coût de main-d'oeuvre
- L'entreprise prend en charge la formation des nouveaux employés.
- L'échelle salariale est peu élevée.
- La main-d'oeuvre active dépasse le nombre d'emplois disponibles.

Malheureusement, les mandats ne sont pas toujours précis. Trop souvent, le rédacteur connaît le but du rapport sans savoir exactement sous quel angle il faut traiter le sujet ou quels moyens sont à mettre en oeuvre pour atteindre le but. S'il s'agit du remaniement des cadres d'une entreprise, par exemple, le rédacteur abordera-t-il le sujet dans l'optique de la concurrence à combattre, du mécontentement du personnel, du prix de revient, etc. ? Prenons un autre exemple[1].

À titre d'inspecteur au ministère de la Défense nationale du Canada, vous êtes chargé de veiller à la qualité des produits destinés aux Forces armées. À cette fin, vous devez assister aux essais de contrôle de la qualité des masques à gaz de SOS Protection.

Le fabricant parvient à satisfaire à huit des dix exigences énoncées dans le cahier des charges du ministère. Cependant, il ne veut investir ni temps ni argent dans de nouveaux essais malgré un besoin urgent de masques à gaz et des pressions exercées par les hauts fonctionnaires du ministère.

Après discussion avec votre supérieur immédiat, vous convenez de ne pas rompre avec SOS Protection (sinon il faudra attendre plusieurs mois avant d'assujettir d'autres fournisseurs aux mêmes essais) ni d'exercer des pressions supplémentaires sur ce fabricant. Il est au contraire décidé d'accepter les masques à gaz tels quels au motif qu'il vaut mieux avoir un masque légèrement imparfait que de ne pas en avoir du tout. Dernière embûche à surmonter : Comment convaincre deux officiers supérieurs (déjà exaspérés par les retards et le refus répété du fournisseur de procéder à d'autres essais) d'exempter SOS Protection de certaines exigences ou de surseoir à l'exécution des essais pour une période indéfinie, sachant que ces deux officiers auront à rendre compte de leur décision à l'état-major et que les derniers masques à gaz, achetés par les Forces armées sans avoir été préalablement mis à l'essai, n'ont pas fait l'affaire ?

---

1. Exemple inspiré d'un cas conçu par E.L. Malone, de la General Sciences Corporation (v. cahier d'exercices, chap. 1, exercice n° 2).

Le rédacteur doit préciser son angle de tir (qu'on nous pardonne la métaphore!), c'est-à-dire le point de vue qu'il adoptera dans sa démarche. Plusieurs solutions s'offrent à lui. Nous n'en retiendrons que deux à titre d'illustration :

1. **Solution juridico-administrative** – Analyse des masques à gaz à l'aide des critères énoncés dans le cahier des charges, en accordant la même importance matérielle à chacun des dix critères. Ainsi, les deux critères non satisfaits paraîtront négligeables. Dans ce cas, le poids de l'argumentation repose sur la disposition des éléments du texte. Si celui-ci est lu rapidement par les deux officiers supérieurs et que le rédacteur adopte le jargon du ministère, tout porte à croire que le rapport sera approuvé en dépit du caractère peu déontologique de la démarche.

2. **Solution globale de gestion** – Analyse des masques en fonction de l'intérêt du ministère. Dans ce second cas, le principal problème aux yeux du rédacteur n'est pas celui des mesures dilatoires prises par le fournisseur mais les besoins immédiats de masques, tandis que l'assurance en matière de qualité et le respect du cahier des charges passent au second plan.

Ces deux démarches (l'une axée sur les règlements, l'autre sur l'intérêt général du ministère) ne sont certes pas les seules susceptibles d'être considérées « acceptables » (on pourrait, par exemple, minimiser les difficultés en affirmant que SOS Protection *répondrait* sans doute aux exigences du cahier des charges si l'on tenait compte des résultats obtenus à l'occasion d'autres essais semblables à ceux qu'impose le ministère). On pourrait d'ailleurs se demander s'il existe une solution idéale. Quoi qu'il en soit, le rédacteur doit être guidé par une stratégie qui, elle, est prérédactionnelle et conditionnée par les destinataires.

2. LES DESTINATAIRES

Le contenu et le style de rédaction de tout rapport sont fonction du destinataire. On n'écrit pas de la même façon au personnel d'entretien et au personnel de direction, au **généraliste** et au **spécialiste**.

Il est donc essentiel que l'auteur se pose un certain nombre de questions avant d'entreprendre la rédaction de son rapport; par exemple :

Questions   **Remarques**

Quels seront les lecteurs du rapport ?

Il se peut que le mandant ne soit pas le seul à lire le rapport. S'il s'agit de plusieurs lecteurs (p. ex., les membres d'un comité), il peut être préférable d'expliciter certains faits plutôt que de les tenir pour évidents, surtout si les lecteurs ne vous connaissent pas ou que *les activités de votre secteur ne leur sont pas familières*. N'oubliez pas que vos supérieurs se forment une opinion de vous à partir de vos communications écrites. S'il leur semble que votre pensée est incomplète (parce qu'elle baigne dans un style implicite), cela diminuera inévitablement vos chances d'atteindre vos objectifs.

Quelle est la nature des relations entre l'auteur du rapport et le destinataire principal ?

Il ne faut pas oublier qu'*un rapport doit se défendre par lui-même*. Ceci est particulièrement vrai lorsque le destinataire principal (p. ex., le supérieur immédiat), qui pourrait être appelé à le commenter oralement à la place de l'auteur (p. ex., pendant une réunion), n'est pas en très bons termes avec ce dernier. Le recours à un style explicite évite d'être à la merci d'un supérieur immédiat qui vous « laisserait tomber » sans hésitation si les choses se corsaient pendant une discussion portant sur un de vos rapports.

Que savent déjà les lecteurs ?

Pour éviter d'indisposer les lecteurs, on doit s'interroger sur leurs connaissances et leur formation (p. ex., on n'expliquera pas un concept de base de la comptabilité à un comptable), sur leur personnalité et sur leur « idéologie ». Ainsi, des arguments en faveur de l'émancipation de la femme dans l'entreprise dans un rapport destiné à un anti-féministe notoire pourraient avoir un effet contraire à celui que l'on recherche.

Le rédacteur doit s'interroger sur les besoins du lecteur, s'accommoder de ses préférences, bref se mettre à sa place. Procéder à l'analyse des préjugés, goûts, intérêts, craintes, etc. des destinataires est essentiel dans tous les types de communication persuasive, car c'est cette analyse qui permet de déterminer le ton et le style du rapport. À cette étape prérédactionnelle, celle au cours de laquelle on définit le problème et on réfléchit (seul ou en groupe) aux divers moyens de le résoudre, l'auteur doit établir la liste de ses lecteurs potentiels et, pour chacun d'entre eux, se poser les questions suivantes :

a) Pourquoi lit-il le rapport ?

b) Après avoir lu le rapport, que doit-il avoir appris ?

c) Après avoir lu le rapport, qu'est-il censé être en mesure de faire ?

L'auteur du rapport doit ensuite établir un parallèle entre les besoins des lecteurs et les objectifs de rédaction qu'il s'est fixés à leur égard : Comment, en fait, veut-il que les lecteurs réagissent ?

Lorsque le rédacteur s'adresse à un gestionnaire, dirigeant ou cadre d'entreprise, il doit convaincre celui-ci qu'il a analysé tous les aspects du sujet : coût de réalisation, d'entretien et de remplacement; ampleur du projet; durée d'exécution et de vie; conséquences sur la productivité, sur l'efficience et sur les bénéfices; besoins en matière de formation du personnel; part du marché; concurrence; risques; incidence sur l'environnement; etc.

Il faut garder à l'esprit qu'entre le stade de la conception et celui de la production, les questions d'ordre humain se révèlent souvent plus importantes que les problèmes techniques. Autrement dit, le rédacteur doit déterminer qui sera touché par le changement, qui y gagnera et, surtout, qui risquera de « perdre la face ». Le succès d'un rapport en dépend, puisque le changement requiert l'élimination d'un sentiment de menace que pourrait éprouver le destinataire.

Dans la très grande majorité des cas, le gestionnaire cherche avant tout la liberté d'action et l'approbation de son entourage. Toute initiative susceptible de nuire à l'une ou à l'autre est à éviter, qu'il s'agisse de requêtes, de suggestions, d'avis ou, bien entendu, de critiques explicites. Par exemple, si l'équipe de recherche A est appelée à occuper une partie du laboratoire de l'équipe B, il faudra non seulement résoudre des problèmes d'horaire et d'heures supplémentaires mais aussi éviter des réactions d'anxiété. Que faire ? Plusieurs voies telles que les suivantes s'offrent au rédacteur pour réduire l'appréhension du destinataire visé par un changement : lui faire savoir qu'on partage avec lui des besoins ou objectifs semblables (p. ex., en recourant au pronom « nous » plutôt qu'à l'opposition « je/tu » ou « je/vous »); faire preuve d'intérêt ou d'attention à son égard (p. ex., en offrant sa sympathie ou sa collaboration au début d'une lettre dans laquelle on annonce une mauvaise nouvelle ou d'une décision qui risque d'être mal accueillie); utiliser un code linguistique commun, signe que l'on appartient au même groupe professionnel ou social; offrir au destinataire un élément de réciprocité (tel un échange de services).

Que se produit-il, par ailleurs, lorsque les destinataires d'un rapport ont des connaissances ou des intérêts différents ? C'est là un problème de taille en communication écrite. Dans un tel cas, il y a lieu, après analyse du profil des destinataires, de structurer le texte en modules, c'est-à-dire de faire en sorte que la forme et le contenu de chaque partie du rapport soient adaptés à un groupe de destinataires donné.

Prenons l'exemple d'une étude, dont vous avez été chargé à titre d'expert-conseil, qui porte sur un nouveau procédé de fabrication industrielle du chlore[2]. Comme le rapport sera lu à la fois par des spécialistes et des généralistes, il faudra l'adapter aux besoins de ces deux groupes de lecteurs. Imaginons les destinataires suivants : Henri Kirouac, ingénieur chimiste, Jules Guertin, vice-président aux finances, quelques membres de la haute direction (on ne les connaît pas, mais on présume qu'ils ont une formation en gestion) et l'équipe de techniciens qui aura à mettre en application le nouveau procédé.

---

2. Exemple inspiré d'un cas conçu par Nancy Roundy, dans « Structuring Effective Technical Reports », *Technical Communication*, Journal of the Society for Technical Communication, Washington, premier trimestre, 1985.

Après avoir déterminé les lecteurs cibles, il faut connaître leurs besoins et distinguer les destinataires principaux des destinataires secondaires (Figure 6). Pour ce faire, on doit se poser la question : « Qui aura à se prononcer sur le rapport ? »

	Destinataires principaux	Destinataires secondaires
Besoins techniques (description du procédé et résultats obtenus par opposition au procédé actuel)	Henri Kirouac	Techniciens
Besoins non techniques (faisabilité et rentabilité du projet)	Jules Guertin	Haute direction

FIGURE 6 — **Besoins des destinataires**

Si Henri Kirouac n'est pas persuadé de l'intérêt du nouveau procédé sur le double plan technique et industriel (p. ex., de l'utilisation d'anodes en titane platiné), le projet n'ira pas plus loin. Cependant, si les avis de MM. Kirouac et Guertin sont favorables, il y a lieu de croire que la haute direction adoptera le nouveau procédé et que les techniciens auront à l'appliquer. Or, comme Henri Kirouac sera le premier lecteur, c'est à ses besoins qu'il faut accorder la priorité (Figure 7).

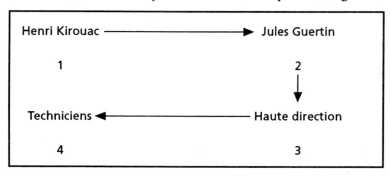

FIGURE 7 — **Ordre de priorité parmi les lecteurs**

Les généralistes et les spécialistes n'éprouvent pas les mêmes besoins. L'expert est avide de données spécialisées à partir desquelles il pourra faire des déductions, contester la validité des calculs, etc. On peut le comparer à un chef d'orchestre qui « entend » une partition et même juge des possibilités qu'elle offre à mesure qu'il en fait la lecture. Le généraliste, de son côté, s'apparente à l'auditoire qui doit attendre l'interprétation du chef d'orchestre avant de pouvoir évaluer la partition.

Le généraliste (le gestionnaire dans ce cas-ci) n'aime pas qu'on lui présente un rapport chargé de détails, mais il apprécie qu'ils soient mis à sa disposition. C'est plutôt l'*opinion professionnelle* du spécialiste qu'il veut connaître.

3. LA SEGMENTATION DU RAPPORT

Les besoins du lecteur principal doivent être examinés dans le corps du texte, tandis que les besoins des autres lecteurs sont à aborder dans le sommaire de gestion, l'introduction, la conclusion, ou même parfois les annexes[3] (Figure 8).

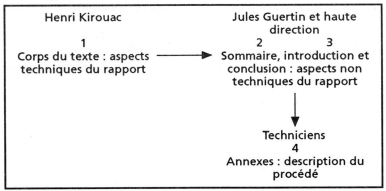

FIGURE 8 — **Segmentation du rapport**

---

3. D'après une étude menée par J.W. Souther, de l'université du Washington, portant sur les habitudes de lecture des gestionnaires de la Westinghouse Electric Corporation aux États-Unis, 100 % d'entre eux lisent le sommaire de gestion, 60 % l'introduction, 50 % la conclusion, 15 % le corps du texte et 10 % les annexes (cité par Kenneth W. Houp et Thomas E. Pearsall, *Reporting Technical Information*, Beverly Hills, Glencoe Press, 1977, p. 68).

Il reste ensuite à mettre les sections dans un ordre qui réponde aux besoins des lecteurs.

4. PRÉSENTATION DÉDUCTIVE ET PRÉSENTATION INDUCTIVE[4]

Une autre situation se présente quand vous pensez que la haute direction est susceptible de ne pas acquiescer à vos recommandations. Il faut alors distinguer présentation déductive et présentation inductive, en vue d'adopter une démarche éclairée.

Nous sommes en présence d'un rapport de type inductif lorsque les conclusions et recommandations apparaissent au début du texte (p. ex., dans le sommaire de gestion ou dans l'introduction) et d'un rapport de type déductif lorsqu'elles apparaissent à la fin du texte.

Présentation déductive	Présentation inductive
Si les lecteurs sont *susceptibles d'être difficiles à convaincre* :	Si les lecteurs sont *susceptibles de vous approuver* :
conclusions et recommandations à la *fin* du texte	conclusions et recommandations au *début* du texte

FIGURE 9 — Présentation déductive et présentation inductive

---

4. C'est par convention de vocabulaire que nous opposons ici déduction et induction, car ce ne sont pas vraiment des antonymes. Effectuer une déduction, c'est conclure à la suite d'un raisonnement, à titre de conséquence. La déduction désigne tout enchaînement apparemment logique de faits ou d'arguments : les analyses de Sherlock Holmes, le diagnostic d'un médecin, etc. Dans le cas d'une induction, au lieu de représenter un enchaînement, les parties s'additionnent pour former un tout, par exemple :
Assertion principale : Trois-Rivières souffre déjà de la récession.
Illustration :   • XXX et YYY ont fermé leurs portes en juin;
                             • le taux de chômage est passé à 18 %;
                             • les ventes au détail ont chuté de 40 % depuis janvier.

Le principe est simple : si la haute direction risque de ne pas être aisément persuadée de l'opportunité du nouveau procédé ou si on lui annonce de mauvaises nouvelles, il est alors préférable d'adopter une attitude prudente et, donc, de recourir à une présentation déductive.

Il reste maintenant à modeler chacun des segments du texte en fonction des principes généraux d'élaboration des plans de rapport. Ces principes feront l'objet du chapitre suivant.

Résumé

Avant d'élaborer un plan de rapport, le rédacteur doit connaître clairement son mandat et le profil de ses lecteurs.

Au sujet du **mandat**, il est nécessaire de connaître :

- le but du rapport (informer, analyser ou recommander);
- l'échéance;
- l'ampleur du texte (nombre approximatif de pages);
- la nature de l'intervention (préliminaire ou définitive);
- le degré de confidentialité;
- les ressources humaines (possibilité de déléguer une partie du travail);
- les ressources matérielles (budget, accès à des données).

Au sujet des **destinataires**, il est nécessaire de connaître :

- leur personnalité;
- leurs connaissances;
- leurs craintes et leurs attentes.

CHAPITRE

2

La structure des textes

La première étape de la rédaction d'un rapport consiste à définir clairement le mandat et le profil des lecteurs. La deuxième est l'élaboration d'un plan.

Le mot « plan » revêt deux sens. Envisagé sous l'angle d'une méthode de travail, il apparaît comme un concept *dynamique*, c'est-à-dire une activité de mise en forme des idées. Considéré comme le produit final d'une activité de réflexion, il présente un aspect *statique*. Le plan d'un texte constitue alors son ossature. Il est, dans une telle optique, le canevas d'une rédaction à venir.

1. IMPORTANCE DU PLAN

Comme tout texte (histoire, rapport, etc.) est réductible, ou résumable, il en résulte que tout texte est *hiérarchisé*, c'est-à-dire qu'il comprend des éléments plus importants que d'autres. À quoi sert-il de faire un plan ?

- Tout d'abord, si le plan est *logique*, son développement tendra à l'être également.

- Étant donné qu'il s'agit de l'architecture d'un texte « en devenir », le plan se prête facilement à des modifications. N'est-il pas plus *simple* de déplacer des éléments dans un plan que des paragraphes dans un rapport dont la rédaction est terminée ?

- Le plan offre une vue d'ensemble du contenu d'un rapport à rédiger et aide à voir aisément si les *proportions* ont été respectées entre les sections.

FORMATION DU PERSONNEL DE TRANS-QUÉBEC INC.

•••

•••

•••

IV. Formation du personnel à l'usine de Cowansville

   a) Formation des cadres

   b) Formation des ingénieurs

      1. Analyse des coûts d'ingénierie

      2. Recherches en matière d'exploitation

      3. Procédés de fabrication

         i. Analyse des coûts d'ingénierie

         ii. Coulage et moulage

         iii. Assemblage des matériaux

         iv. Traitement de la surface des métaux

         v. Nettoyage du matériel

      4. Utilisation de l'ordinateur

         i. Modes analogique et numérique

         ii. Codes informatiques

         iii. Principes de programmation

   c) Formation du personnel de supervision

•••

•••

•••

Les questions qu'un tel plan amènerait tout lecteur averti à se poser sont les suivantes : Pourquoi semble-t-on accorder tant d'importance à la formation des ingénieurs dans cette usine ? A-t-on éprouvé des difficultés à cet égard dans le passé ? L'auteur est-il lui-même ingénieur ?

- Un plan permet de vérifier si le développement est *complet*.

- Un plan économise du *temps* à l'auteur du rapport, car il n'est pas obligé de relire son texte au complet chaque fois qu'il croit avoir omis un détail, et le gestionnaire n'est pas insensible à la commodité de lecture ainsi offerte.

- Enfin, un plan permet de souligner chaque idée et rend ainsi le rapport plus *efficace*.

Dans les pages qui suivent, nous examinerons un certain nombre de techniques visant à permettre à l'auteur d'un plan, à partir d'ensembles disparates, de procéder à des regroupements d'idées et de les mettre dans un ordre logique. La logique d'un texte repose en effet sur la cohésion des éléments qui le composent et sur leur ordre de présentation en fonction d'un objectif donné.

2. COHÉSION ET SUBORDINATION

La cohésion textuelle s'obtient au moyen d'un regroupement d'éléments par affinité; autrement dit, en termes familiers, il faut mettre les pommes avec les pommes et les oranges avec les oranges.

Examinons une série d'observations tirées d'un rapport faisant suite à une inspection menée dans un établissement financier :

1. À mon arrivée, les demandes d'emprunt étaient rédigées au crayon, mais signées par le membre à l'encre.

2. Un prêt de 112 000 $ était entré au système informatique sans taux d'intérêt. Le prêt y avait été intégré depuis au moins 21 jours, et un calcul de fin de mois avait déjà été effectué à 0 %.

3. Trois prêts à la municipalité Ixe avaient été déposés à son compte sans que l'on ait reçu préalablement les reconnaissances de dette signées par le responsable de la municipalité. Montant total des prêts : 392 847 $.

4. Le fonds de liquidité était déficitaire de plus de 450 000 $ (écart moyen).

5. Les rapports 1-1 (données non financières) n'avaient pas été vérifiés depuis longtemps. J'ai commencé la vérification le 25 octobre 199•.

6. Dans un dossier de prêt, j'ai trouvé deux demandes d'emprunt et deux reconnaissances de dette signées en blanc par le membre sans qu'aucune information ne figure sur les formulaires.

7. J'ai observé qu'environ 40 prêts avaient été « accordés » par la Commission de crédit – le montant prêté était déposé au compte de chaque membre sans être complètement intégré au système informatique – et que les formules de reconnaissance de dette n'avaient pas été remplies au complet, mais seulement signées en blanc par le membre.

8. Les enveloppes NIP (numéro d'identification personnelle) remises aux membres avaient été ouvertes par un employé.

Cette liste pourrait donner à croire que tous les éléments énumérés ont la même importance ou encore, comme ils sont présentés par ordre numérique (1 à 8), qu'ils sont gradués selon un ordre déterminé. Or, l'auteur a tout simplement négligé de procéder à des regroupements (par exemple, les points 2, 3 et 4 portent sur des données financières, et les points 1, 5, 6 et 7, sur des irrégularités administratives), ce qui rend difficile toute décision sur l'ordre dans lequel des mesures correctives sont à prendre.

Il ne faut jamais oublier de rendre la vie facile au lecteur, de le tenir par la main... C'est pourquoi il est conseillé de lui dire *explicitement* qu'il s'agit de lacunes administratives et financières observées au sein de l'établissement, et qu'elles sont présentées dans chaque cas, par exemple, par ordre croissant d'importance. (On pourrait également ajouter des renseignements sur l'échéance, les personnes responsables du suivi, etc.) Un arbre d'organisation conçu dans cette optique aurait la structure suivante :

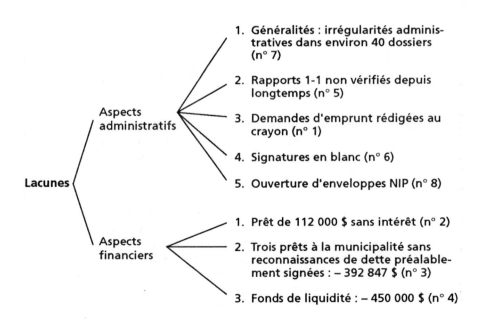

Dans le cas de cet arbre, la cohésion textuelle s'obtiendra en regroupant, dans la colonne de droite, les éléments présentant un trait commun.

Quand on parle de hiérarchie dans un texte, on songe aux rapports de subordination qui s'y établissent (liens de dépendance de droite à gauche dans l'exemple ci-dessus).

Le regroupement d'éléments autour d'un dénominateur commun s'observe dans toute tentative de classement. Comment, par exemple, classer les sources d'énergie dans le monde (bois, charbon, pétrole, gaz naturel, énergie hydro-électrique [eau, marées], énergie solaire, énergie atomique), sinon d'après des concepts communs tels que chronologie d'emploi (bois pendant des millénaires, houille depuis le xviiie s., etc.), puissance fournie, ordre d'importance par pays, etc. ? L'examen de la table des matières de n'importe quel livre de la collection *Que Sais-Je ?* est révélateur à cet égard et nous permet d'observer que les modes de fractionnement thématique sont en nombre illimité.

	Dénominateur commun	Éléments subordonnés
	(titre d'un chapitre du livre)	(titres des sections de chapitre)
Le droit anglais (n° 1162)	Organisation de la justice des cours inférieures	a) Juridictions civiles b) Juridictions criminelles c) Juridictions administratives
L'économie du Canada (n° 1145)	Exploitation des ressources naturelles	a) Forêt b) Pêche c) Agriculture d) Mines
La toxicologie (n° 61)	Action des toxiques sur le sang	a) Poisons hématiques b) Poisons globulaires c) Poisons leucocytaires
La bière (n° 440)	Matières premières	a) Orge b) Succédanés de l'orge (grains crus et sucres) c) Houblon d) Eau
L'anesthésie (n° 1766)	Anesthésie selon le type de chirurgie	a) Anesthésie en neurochirurgie b) Anesthésie en chirurgie thoracique et cardio-vasculaire c) Anesthésie et analgésie obstétricale d) Anesthésie en pédiatrie e) Anesthésie en oto-rhino-laryngologie et en ophtalmologie

3. STRUCTURE HORIZONTALE ET STRUCTURE VERTICALE

Nous voyons donc se dessiner une structure dite horizontale, hiérarchisée, se présentant de droite à gauche, qui s'incorpore à la structure verticale du texte. Il s'agit en fait d'une succession de sous-structures horizontales, dominées par les thèmes de regroupement, qui mène à la conclusion (et à des recommandations, le cas échéant).

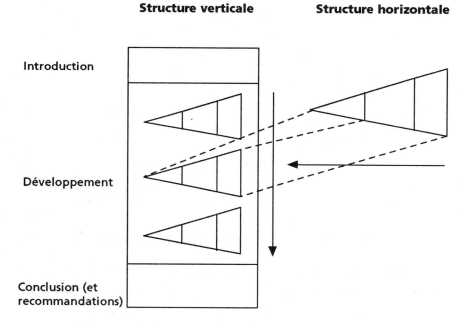

FIGURE 1 — **Structure horizontale et structure verticale**

À chaque section du développement d'un rapport d'analyse ou de recommandation correspond une structure horizontale tripartite, présentée sous la forme d'une pyramide couchée. La pointe de la pyramide indique le thème de la section du rapport faisant l'objet d'un regroupement, thème suivi de la partie Information dans le segment du centre et, dans le segment de droite, de la partie Analyse.

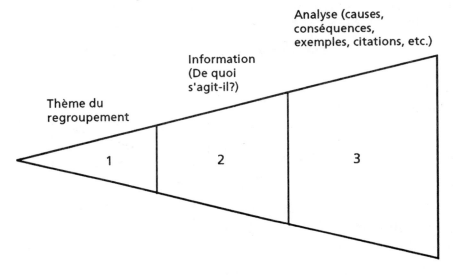

FIGURE 2 — **Structure horizontale tripartite**

C'est sur les parties 2 et 3 ci-dessus que s'articule l'argumentation à proprement parler, puisque 3 est un commentaire sur 2 :

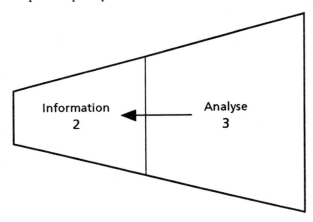

FIGURE 3 — **Hiérarchisation de droite à gauche**

Voici comment on répartirait entre ces segments les éléments du message suivant : « Dans son allocution annuelle, le président a annoncé que les bénéfices par action sont passés de 18 ¢ à 43 ¢ par rapport à 199• en raison principalement de l'immense popularité de la poupée Coco. »

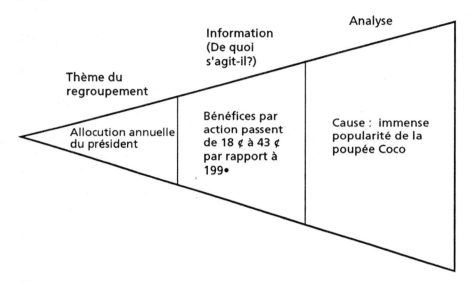

FIGURE 4 — **Message présenté dans une structure horizontale tripartite (1)**

Autre exemple : « Selon le rapport de l'économiste, le taux de chô-
mage au Québec en avril 199• devrait atteindre 14 %, à cause notamment de l'échec des pourparlers constitutionnels, de la flambée des
taux d'intérêt et de l'effondrement du marché des pâtes et papiers. Une
augmentation considérable du taux d'inflation est donc à prévoir au
cours de l'été. »

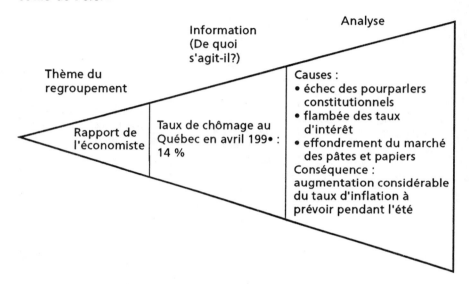

FIGURE 5 — **Message présenté dans une structure
horizontale tripartite (2)**

Le rapport s'articule donc selon une succession « verticale » de pyramides :

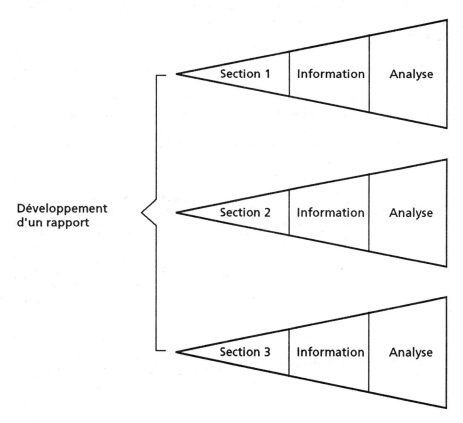

FIGURE 6 — **Schéma de développement d'un rapport**

NOTA : *Nous traiterons séparément de l'introduction et de la conclusion au chapitre 3. Comme on n'expose aucun raisonnement dans ces parties du rapport, elles ne sont pas abordées ici.*

L'ordre de présentation des éléments du texte ne doit pas être laissé au hasard. La gradation des éléments est en principe fonction du point d'arrivée, c'est-à-dire de la conclusion. Il est donc généralement indispensable de savoir quelle conclusion on donne à un rapport *avant* de le rédiger.

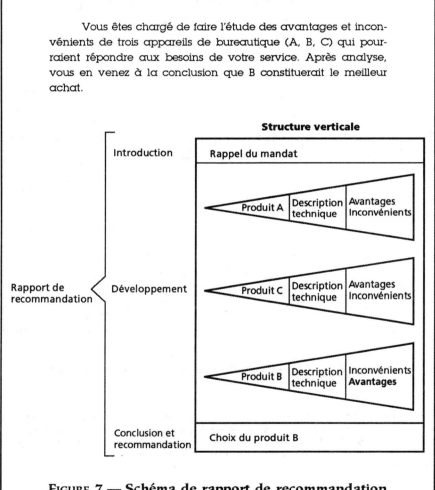

FIGURE 7 — **Schéma de rapport de recommandation**

La méthode d'élaboration du plan du rapport serait la suivante :

Premièrement :   Déterminer la conclusion (produit B).

Deuxièmement :   Organiser la structure verticale à partir de la conclusion (ordre de présentation : A, C, B).

Troisièmement :   Élaborer les structures horizontales (descriptions techniques, listes des avantages et inconvénients).

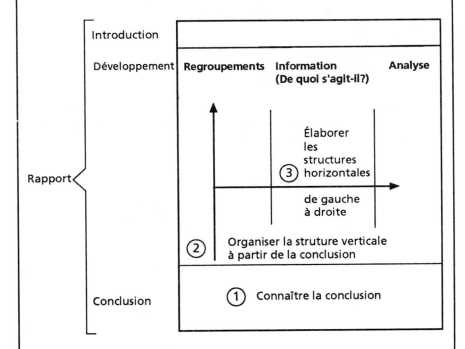

FIGURE 8 — **Étapes d'élaboration d'un plan**

La conclusion aura plus de poids si elle est immédiatement pré-cédée d'éléments allant dans le même sens qu'elle. Par exemple, elle sera plus convaincante si, pour le produit B, l'ordre initial avantages-inconvénients est inversé. Dans la table des matières (voir chapitre 3), on écrira :

1. Produit A

    1.1 Description technique

    1.2 Avantages et inconvénients

2. Produit C

    2.1 Description technique

    2.2 Avantages et inconvénients

3. Produit B

    3.1 Description technique

    3.2 *Avantages et inconvénients*

Ajoutons que l'on gagnera à présenter les avantages *explicitement* selon leur ordre croissant d'importance, en s'inspirant du crescendo qui termine la plaidoirie d'un avocat de la défense.

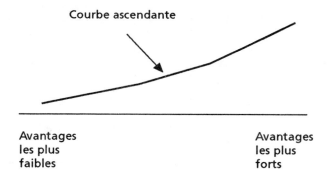

FIGURE 9 — **Présentation des avantages**

4. CASES CLÉS DANS UNE SÉRIE

Comme le font ressortir les paragraphes qui précèdent, la place qu'occupent les éléments d'information dans une énumération joue un rôle crucial en communication écrite. On peut sans crainte soutenir que les éléments d'information qui exerceront sur le lecteur l'effet le plus marqué seront ceux que l'on a placés au début et à la fin d'une série.

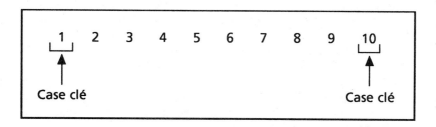

FIGURE 10 — **Cases clés dans une série**

Quant à la question de savoir, dans l'exemple ci-dessus, laquelle des cases 1 et 10 est la plus importante, elle doit demeurer ouverte car la réponse varie selon les contextes.

Comme les cases intermédiaires ont un effet moindre sur le lecteur, il serait sans doute justifié, dans l'exemple précédent ayant trait au choix d'un appareil de bureautique, de placer en position médiane le principal concurrent du produit B. On pourrait aussi utiliser la case initiale d'une série pour critiquer un produit. Il s'agit là bel et bien d'une question de stratégie.

Nous venons d'exposer les principales techniques d'élaboration de plans. Mais avant de procéder à des exercices d'application, il serait utile d'examiner deux exemples de telles techniques : le premier consistera à dégager le plan d'un texte déjà rédigé et le second, à élaborer un plan à partir d'une mise en situation.

5. DÉTERMINATION DU PLAN SE TROUVANT À L'ORIGINE D'UN TEXTE DÉJÀ RÉDIGÉ

Nous avons choisi un texte d'information générale publié dans *Le Devoir économique* d'avril 1989 (volume 5, numéro 3, p. 56). À caractère didactique, ce texte journalistique a pour but principal non pas d'analyser le phénomène de la téléphonie cellulaire, mais d'informer le lecteur sur le choix d'un appareil, les différents modèles offerts sur le marché et l'alternative achat-location. Voici le texte :

LA TÉLÉPHONIE CELLULAIRE DANS VOTRE ASSIETTE !

1. Que ce soit pour reporter un rendez-vous du matin, recevoir un appel d'un client entre l'entrée et le plat principal, aviser d'un retard à cause d'un embouteillage, rester en contact avec le bureau même sur un chantier de construction, tous les prétextes sont bons pour utiliser à souhait ce petit bijou d'ingéniosité qu'est le téléphone cellulaire.

2. Il semble qu'après avoir connu les joies de cet appareil, on ne puisse plus s'en passer. L'essayer serait l'adopter, rien de moins ! Pas étonnant qu'à elle seule Cantel compte plus de 100 000 abonnés au Canada. Les spécialistes prévoient même que ce nombre pourrait doubler annuellement. Or, 100 000 abonnés, c'était l'objectif visé pour 1990 !

3. La popularité du téléphone cellulaire a connu une croissance étonnante, depuis son apparition au Canada il y a quatre ans, en dépit de coûts somme toute assez élevés. Rassurez-vous cependant, ces coûts vont décroissant au fil des mois. Alors qu'en 1985 le coût moyen d'un appareil était de 4 000 $, il est aujourd'hui de 1 700 $. La petite antenne caractéristique n'est plus l'apanage des seules voitures de luxe.

4. Au début, lorsque présidents et hauts dirigeants de compagnies roulaient en ville le téléphone à l'oreille, ils se faisaient regarder comme des extra-terrestres. Mais au cours des années 1986 et 1987, une nouvelle clientèle faisait de cet appareil un outil de travail quotidien : directeurs de ventes, gérants de zones de services, représentants commerciaux, etc.

5. « Puis, en 1988 et 1989, ce fut l'élargissement au plus grand nombre », raconte Yves Perrault, directeur des ventes d'une succursale de Cantel à Montréal, qui croit que le marché n'est exploité qu'à 20 p. cent de sa capacité. « Les gens se laissent séduire par la téléphonie cellulaire, ne serait-ce que pour des raisons de sécurité personnelle (ne pas être pris au dépourvu par une panne en pleine campagne...) ou encore par souci d'organisation de son temps. »

ACHETER OU LOUER ?

6. Ceux et celles qui optent pour l'achat d'un téléphone cellulaire doivent s'attendre à débourser entre 1 500 $ et 5 000 $, dans le haut de gamme. Certains précisent toutefois que dans moins de deux années il sera possible de devenir « l'heureux propriétaire » d'un appareil pour moins de 1 000 $.

7. Plusieurs usagers préfèrent cependant la location pure et simple ou le plan d'achat : un nombre déterminé de mois de location donne le droit de posséder l'appareil. En optant pour la location, l'usager peut se maintenir à la fine pointe des innovations, étant donné l'évolution rapide des modèles. Et en cas de défectuosité des appareils, ils peuvent être remplacés immédiatement.

8. Peu importe qu'on le possède ou qu'on le loue, les frais inhérents à l'utilisation d'un téléphone cellulaire n'en sont pas moins nombreux. Il y a les frais de service, que l'on paie une seule fois au moment de la mise en service du téléphone, puis, sur une base mensuelle, le tarif d'accès au réseau qui est de 9,95 $ chez Bell Cellulaire et de 15 $ chez Cantel.

9. Enfin, il y a le tarif d'utilisation à la minute, qu'il est préférable d'acheter en forfait. Par exemple, chez Cantel, il est de 50 ¢ la minute pour les 130 premières minutes tandis que chez Bell Cellulaire il est de 55 ¢ la minute pour les 120 premières minutes.

10. Ces frais comprennent de nombreux services dont le renvoi automatique, les mises en attente, les appels-conférences ainsi que les services permanents d'un centre de messages, dans le cas où votre appareil est hors des limites desservies par les deux seules compagnies à bénéficier de l'approbation du CRTC, Cantel et Bell Cellulaire.

LES TYPES D'APPAREILS

11. On les distingue ainsi : les appareils fixes à bord des voitures, les appareils transportables et les appareils portatifs.

12. Depuis quelques mois, on note un engouement marqué pour les appareils transportables et aisément manipulables, qu'on peut utiliser à l'extérieur de la voiture et transporter dans un sac en bandoulière conçu à cette fin.

13. Ce sont toutefois aux appareils portatifs que l'on prédit la plus belle croissance. Tout légers, tout minces, on les transporte sur soi, à l'intérieur d'un manteau, sur les chantiers de construction, ou encore on les dépose, pour mieux paraître, sur la table à l'heure du lunch. « Mais pas seulement pour l'esbroufe », remarque Yves Perrault qui soutient que d'ici quelques mois il sera monnaie courante de voir des gens d'affaires ajuster leur appareil en plein restaurant.

14. Parmi les modèles portatifs, ceux de Motorola, de Nec, de Radio Shack s'allient en apparence aux walkies-talkies traditionnels mais ils sont oh! combien plus sophistiqués! Certains modèles offrent même un système de mémoire pouvant enregistrer jusqu'à 100 numéros de téléphone.

15. Même les modèles fixes, pionniers dans le domaine, ont ajusté leur ligne, et offrent aujourd'hui, systématiquement, le service « mains libres » qui répond à des normes beaucoup plus sécuritaires. Nul besoin d'avoir en main le combiné pour converser avec son interlocuteur : un système de microphone placé sur le pare-soleil de la voiture et un haut-parleur suffisent à donner des nouvelles de votre monde !

16. Oui, le mode de communication se fait attirant et la demande si forte que de nombreuses compagnies de location de voitures offrent, depuis peu, le service du téléphone cellulaire à travers le Canada. Chez Budget, tous les véhicules de location peuvent être dotés d'un téléphone cellulaire. Les frais sont de 5,95 $ par jour, plus 1,45 $ par minute d'utilisation. Chez Tilden, pas de frais quotidiens mais des frais d'utilisation de 1,95 $ la minute.

17. À quand le téléphone dans le métro ?

On trouvera ci-après le plan qui se dégage du texte.

PLAN

INTRODUCTION

| Entrée en matière | 1. | Exemples d'utilisation du téléphone cellulaire (généralités). |
| | 2. | L'essayer = l'adopter, la preuve : 100 000 abonnés de Cantel au Canada en 1989. |

Regroupements	**Par.**	**Information** **(De quoi s'agit-il ?)**	**Analyse** **(causes, conséquences, exemples, etc.)**
DÉVELOPPEMENT Historique	3.	1985 : apparition du téléphone cellulaire au Canada, coût moyen = 4 000 $. 1989 : popularité croissante et coût décroissant, coût moyen = 1 700 $.	
	4.	1985 : utilisateurs = présidents et hauts dirigeants. 1986 et 1987 : nouvelle clientèle.	**Exemples** : directeurs de ventes, gérants de zone de service, représentants commerciaux.
	5.	1988 et 1989 : utilisateurs = grand public.	**Causes** : sécurité personnelle et meilleure gestion du temps **Citation** de Y. Perrault : le marché n'est exploité qu'à 20 % de sa capacité.
Acheter ou louer ?	6.	*Achat* d'un produit haut de gamme : de 1 500 $ à 5 000 $. D'ici 1991 : moins de 1 000 $.	
	7.	*Location*, avantages : • fine pointe des innovations • remplacement immédiat en cas de défectuosité.	**Cause** : évolution rapide des modèles.
	8.	Frais : • frais de mise en service • frais mensuels d'accès au réseau : 9,95 $ – Bell Cellulaire 15 $ – Cantel	

Regroupements	Par.	Information (De quoi s'agit-il ?)	Analyse (causes, conséquences, exemples, etc.)
	9.	• tarif d'utilisation à la minute, qu'il est préférable d'acheter en forfait : 50 ¢/min pour 130 premières minutes chez Cantel; 55 ¢/min pour 120 premières minutes chez Bell Cellulaire.	
	10.	Frais comprennent nombreux services.	**Exemples** : renvoi automatique, mise en attente, etc.
Les types d'appareils	11.	Trois types d'appareils : • fixes à bord des voitures • transportables • portatifs.	
	12.	1989 : engouement pour appareils transportables (description).	
	13.	L'avenir est aux appareils portatifs (description).	**Citation** de Y. Perrault : les appareils portatifs seront monnaie courante d'ici quelques mois.
	14.	Modèles portatifs Motorola, Nec et Radio Shack = walkies-talkies en version sophistiquée.	**Exemple** : conserver en mémoire 100 numéros de téléphone.
	15.	Des modèles fixes offrent une utilisation mains libres.	**Conséquence** : beaucoup plus sécuritaire.
CONCLUSION	16.	Conséquence de la popularité des téléphones cellulaires : des entreprises de location de voitures offrent ce service partout au Canada. Budget (5,95 $/j plus 1,45 $/min d'utilisation); Tilden (aucuns frais quotidiens, mais 1,95 $/min d'utilisation).	
	17.	À quand le téléphone dans le métro ?	

La forme des textes journalistiques, comme « La téléphonie cellulaire dans votre assiette ! », épouse souvent la structure d'un sablier : introduction générale, développement tripartite (comportant exemples et citations), conclusion et perspectives.

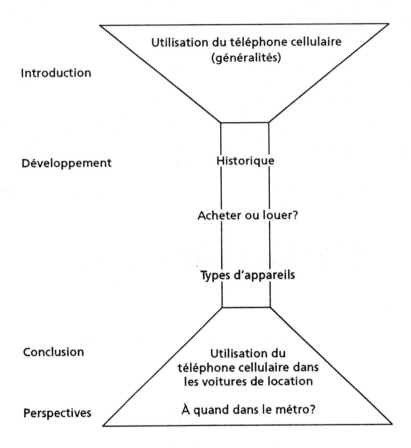

Introduction — Utilisation du téléphone cellulaire (généralités)

Développement — Historique — Acheter ou louer? — Types d'appareils

Conclusion — Utilisation du téléphone cellulaire dans les voitures de location

Perspectives — À quand dans le métro?

Figure 11 — **Structure du sablier**

Dans le plan ci-dessus, l'historique est réparti entre trois paragraphes (3 à 5) et s'échelonne de 1985 à 1989. Qu'il y ait peu d'éléments dans la colonne Analyse est normal puisqu'il s'agit précisément d'un historique.

L'alternative achat-location couvre cinq paragraphes (6 à 10). Le plan permet de constater l'absence d'information concernant le prix de location d'un téléphone cellulaire, ce qui empêche en fait de répondre à la question « Acheter ou louer ? ». On aimerait aussi savoir à combien se chiffrent les frais de mise en service (par. 8). Par ailleurs, la section intitulée « Acheter ou louer ? » devrait suivre celle qui est consacrée aux types d'appareils.

L'ordre de présentation des types d'appareils s'explique par la nature de la conclusion. En effet, comme celle-ci porte sur la présence d'appareils fixes à bord de voitures de location, il est normal que le paragraphe 15 traite des modèles fixes. Il reste à se demander s'il existe bel et bien trois types d'appareils, et non pas plutôt deux, car la distinction établie aux paragraphes 12 à 14 entre « transportable » et « portatif » n'est pas évidente et elle peut être fragile.

Voilà pour la reconstitution d'un plan, lequel constitue en même temps un instrument de critique.

6. ÉLABORATION D'UN PLAN À PARTIR D'UNE MISE EN SITUATION

Mise en situation

LES HORAIRES VARIABLES

Vous êtes responsable de la paie dans le service de la comptabilité de la société Luminaire Ixe. Depuis quelques mois, vous songez à présenter au directeur du service, M. Yvon Lechasseur, un projet qui vous tient beaucoup à cœur, soit l'implantation d'horaires variables. À noter que M. Lechasseur, homme d'apparence dure et maussade, aux idées un peu étroites, est à quelques années de la retraite. Il n'aime pas les syndicats et il déplore le manque de discipline et de ponctualité qui lui paraît caractériser le monde du travail à l'heure actuelle.

Au cours d'une rencontre dans un bar, vous lui exposez votre projet. Un peu distant au début de la conversation mais réchauffé quelque peu par la suite grâce à quelques consommations, il accepte néanmoins que vous lui présentiez un rapport sur l'opportunité d'implanter des horaires variables dans son service.

Renseignements divers

Lieu de travail : Quartier commercial d'une grande ville congestionnée aux heures de pointe.

Lieu de résidence des employés : La plupart des employés habitent à environ 25 km de leur travail, sauf M. Lechasseur qui loge à quelques pas seulement du bureau.

Nombre d'employés du service : Une trentaine environ, dont les deux tiers ont des enfants.

Heures de bureau : De 8 h 30 à 17 h.

Nature de l'entreprise : Société en pleine expansion, Luminaire Ixe fabrique des ampoules électriques de longue durée.

Personnel : Les employés de l'usine sont syndiqués, mais les employés du bureau ne le sont pas encore, malgré deux tentatives du syndicat. Ces derniers doivent souvent effectuer des heures supplémentaires. Le roulement du personnel et l'absentéisme sont élevés.

Voici successivement deux plans de rapport qui pourraient convenir à la mise en situation portant sur les horaires variables.

Dans le plan n° 1, le début du développement fait ressortir la bonne gestion de M. Lechasseur. Les horaires variables sont envisagés sous un angle, non pas sociologique (p. ex., qualité de vie, garderies, etc.), mais économique, comme étant une solution rentable à un problème coûteux.

Dans le plan n° 2, l'auteur évite de commenter la situation actuelle de peur de mécontenter M. Lechasseur. Il s'en tient à la description des horaires variables en vigueur dans les services de comptabilité d'entreprises semblables à Luminaire Ixe. Il résout du même coup le problème de la mécanique d'application des horaires variables qui fera l'objet d'une étude ultérieure.

PLAN N° 1

LES HORAIRES VARIABLES

INTRODUCTION	• Mandat : contenu de la lettre de confirmation du mandat. • Définition succincte des horaires variables : a) plage fixe; b) plage variable. • Paragraphe charnière : annonce de ce qui suit.

Regroupements	Information (De quoi s'agit-il ?)	Analyse (causes, conséquences, exemples, etc.)
DÉVELOPPEMENT		
1. Situation actuelle.	Avantages.	Discipline ↑
		Contrôle ↑
		Etc.
	Améliorations possibles.	Heures supplémentaires ↑
		Roulement ↑
		Absentéisme ↑
		Retards ↑
		➡ COÛT ÉLEVÉ $ $ $

Regroupements	Information (De quoi s'agit-il ?)	Analyse (causes, conséquences, exemples, etc.)
2. Solution possible : les horaires variables.	Système d'horaires variables en vigueur.	Exemple d'autres entreprises similaires.
3. Analyse.	Inconvénients.	Discipline ± ↓ Contrôle ± ↓ Frais généraux ± ↓
	Avantages.	Motivation ↑ Rendement ↑ Roulement ↓ Absentéisme ↓ Retards ↓ ➡ ÉCONOMIE DE $ $ $

CONCLUSION   Rentabilité de l'implantation au sein du service de la comptabilité.

RECOMMANDATION   Programme de mise en place suivi d'une évaluation après six mois.

ANNEXE   Horaires variables d'entreprises similaires.

PLAN N° 2

LES HORAIRES VARIABLES

INTRODUCTION
- Mandat : contenu de la lettre de confirmation du mandat.
- Définition succincte des horaires variables :
  a) plage fixe;
  b) plage variable.
- Paragraphe charnière : annonce de ce qui suit.

Regroupements	**Information** **(De quoi s'agit-il ?)**	**Analyse** **(causes, conséquences,** **exemples, etc.)**
DÉVELOPPEMENT Horaires variables en vigueur dans les services de comptabilité d'entreprises similaires.	Description technique des horaires variables.	
	Entreprise A	
	Avantages.	≡
	Inconvénients.	≡
	Entreprise B	
	Avantages.	≡
	Inconvénients.	≡
	Entreprise C	
	Inconvénients.	≡
	Avantages.	Syndicalisation ↓
		Motivation ↑
		Retards ↓ (= $)
		Absentéisme ↓ (= $)
		Heures supplémentaires ↓ (= $)
		Roulement ↓ (= $)
		Rendement ↑ (= $)
		➡ ÉCONOMIE DE $ $ $

CONCLUSION — Rentabilité de l'implantation du système en vigueur dans l'entreprise C.

RECOMMANDATION — Programme de mise en application du système de l'entreprise C suivi d'une évaluation après six mois.

ANNEXE — Description du nouveau système adapté aux besoins du service de la comptabilité.

Certaines erreurs sont à éviter. Par exemple, faire des regroupements du type « Avantages pour l'employé/Avantages pour l'employeur », ce qui aurait pour effet de polariser l'argumentation (une solution bonne pour l'un est mauvaise pour l'autre) et de donner l'impression que l'on est un farouche syndicaliste; accorder trop d'importance à des facteurs non quantifiables ou encore à des points susceptibles d'agacer M. Lechasseur (p. ex., l'horaire des garderies risquerait de l'indisposer puisque, selon lui, la place de la femme est au foyer !); commencer le développement par une description *négative* de la situation actuelle, car il ne faut pas oublier de se mettre à la place de M. Lechasseur.

Résumé

Après avoir recueilli les données nécessaires, mais avant d'écrire son rapport, le rédacteur doit élaborer un plan. La méthode d'élaboration d'un plan comprend trois étapes :

1. déterminer tout d'abord la conclusion;

2. organiser la structure verticale à partir du point d'arrivée, c'est-à-dire de la conclusion;

3. développer les structures horizontales (regroupement par affinités, ordre de présentation).

CHAPITRE
3

Les éléments du rapport

Après avoir circonscrit le mandat et les besoins des lecteurs (chapitre 1), rassemblé ses idées et élaboré un plan en fonction de la conclusion (chapitre 2), l'auteur entreprend la rédaction de son rapport. Dans les pages qui suivent, nous examinerons la lettre de transmission et les divers éléments *susceptibles* d'apparaître dans un rapport de gestion, soit :

1. la lettre de transmission;

2. la page de titre;

3. le sommaire de gestion;

4. la table des matières;

5. la liste des tableaux et des figures;

Le rapport proprement dit

6. l'introduction;

7. le développement;

8. la conclusion et les recommandations;

9. les annexes;

10. la bibliographie.

NOTA : *Nous avons placé les remerciements dans l'introduction (v. 6.7 infra), mais on peut aussi les indiquer sur une page distincte, et dans ce cas, elle fait suite immédiatement à la page de titre.*

---

1. LA LETTRE DE TRANSMISSION[1]

La lettre de transmission, aussi appelée lettre de présentation ou d'accompagnement, joue un rôle clé en matière de rédaction, car elle constitue le premier contact que l'auteur établit avec ses lecteurs. Il est donc nécessaire d'y adopter un ton élégant et courtois.

La lettre de transmission permet à l'auteur de mettre l'accent sur les points importants, d'indiquer les erreurs ou omissions et d'ajouter des renseignements encore inconnus au moment de la saisie du rapport.

---

1. Protocole de correspondance commerciale et administrative : voir le chapitre suivant.

On peut également se servir de cette lettre pour remercier de sa précieuse collaboration un cadre qui pourrait s'opposer à vos recommandations (même si sa contribution a été peu importante) ou encore signaler que le vice-président aux finances, personne très influente, partage vos idées, en comptant que vos adversaires, sachant que vous avez un allié dans la haute direction, y penseront deux fois avant de s'en prendre à vous.

Contenu de la lettre de transmission

1. Énoncé du titre et but du rapport.

2. Nom de la personne qui a autorisé ou commandé le rapport.

3. Méthodologie et principaux résultats.

4. Remerciements.

5. Offre d'être au service du lecteur pour l'aider à interpréter le texte ou à poursuivre des recherches connexes.

Mise en situation

L'entreprise pour laquelle vous travaillez est en pleine expansion, et il est impossible d'agrandir l'immeuble actuel. Vous êtes chargé de présenter au conseil d'administration de l'établissement un rapport de recommandation quant à l'achat ou à la construction d'un autre immeuble.

[Date et lieu]

[Nom et adresse du destinataire]

Objet : Nouvel emplacement des bureaux de la société CPD

Messieurs,

Pour faire suite à la demande formulée par le conseil d'administration, à l'occasion de sa réunion du 8 mars dernier, nous vous transmettons le **Rapport sur le nouvel emplacement des bureaux de la société CPD à Trois-Rivières**, dans lequel nous examinons les possibilités d'achat et de construction d'un immeuble destiné à satisfaire aux besoins croissants de l'entreprise.

Comme le réaménagement des bureaux de la société dans les secteurs choisis par le conseil entraînerait des coûts élevés (environ ... $), il a été décidé de retenir l'option construction (environ ... $) à l'angle des rues Royale et Saint-Roch.

Nous tenons à remercier Mme Colette Nadeau de l'aide précieuse qu'elle nous a apportée tout au long de notre travail.

Pour obtenir tout renseignement supplémentaire, n'hésitez pas à communiquer avec nous.

Nous vous prions d'agréer, Messieurs, l'expression de nos sentiments distingués.

[Titre et signature]

2. LA PAGE DE TITRE

La page de titre doit être facile à lire et bien équilibrée. À défaut de lettre de transmission, elle est le premier texte dont le lecteur prend connaissance. Sa présentation doit donc être claire, soignée et symétrique.

Contenu de la page de titre

1. Un titre qui résume l'objet du rapport.

2. Le nom et le titre (ou la fonction) de l'auteur et, parfois, du destinataire.

3. La date.

Si l'on désire ajouter d'autres éléments d'information sur la page de titre, comme l'adresse de l'entreprise ou le numéro du contrat, le recours à une page de couverture munie d'une fenêtre permettrait de répartir les renseignements sur deux pages et de conserver ainsi l'équilibre des proportions.

NOTA : *Le titre ne doit contenir aucune abréviation, ni être suivi d'un point. (Il en est de même des titres et sous-titres dans le corps du rapport.) Il ne doit pas non plus consister en une phrase complète formulée selon le modèle sujet-verbe-complément. Enfin, les expressions du type « Contribution à l'étude de... », « Réflexions sur le problème de... » sont inutiles, et donc à éviter.*

**Ventes mensuelles
de climatiseurs en Estrie**

Rapport présenté à
Monsieur Maximilien Leroux
Vice-président à la commercialisation

par
Félix Leblanc
représentant commercial

17 août 199•

CFG

3. LE SOMMAIRE DE GESTION

Le sommaire de gestion (en anglais, *executive summary, executive overview, management summary ou management overview*) est un texte d'environ une page. À la différence de l'abrégé descriptif (*abstract*), il ne s'adresse pas à des spécialistes, mais à des administrateurs qui n'ont pas le temps de lire tous les rapports publiés au sein de l'entreprise ou de l'organisme. D'ailleurs, il y a de fortes chances pour que ce soit la seule section du rapport que liront la plupart des gestionnaires; c'est pourquoi on évite d'ordinaire d'y faire figurer des détails techniques. On le consacre d'habitude surtout à des problèmes généraux de gestion : Combien coûtera la mise au point d'une nouvelle technique ? Quels seront les nouveaux marchés ? Quelle sera l'incidence de cette nouvelle technique sur les bénéfices ? Faudra-t-il modifier la composition du personnel de l'usine, procéder à des mises à pied ? En outre, de plus en plus aujourd'hui, on y traite des répercussions des activités industrielles sur l'environnement.

Contenu du sommaire de gestion

1. Titre du rapport et nom de l'auteur.

2. But du rapport .

3. Énoncé du problème et, le cas échéant, de la méthode utilisée.

4. Principaux résultats.

5. Conclusion et recommandations émises dans une perspective de gestion.

Étude de faisabilité
de l'électroplacage commercial des plastiques

Paul Lalande

Le prix du zinc et celui du cuivre ont augmenté de plus de 14 % au cours des trois dernières années. Comme l'achat du zinc et du cuivre représente plus de la moitié de nos coûts d'électroplacage, soit ... $, il a été décidé d'entreprendre une étude sur la possibilité de remplacer le zinc et le cuivre par des matières plastiques dans nos opérations d'électroplacage et d'effectuer les modifications nécessaires à cette fin, le cas échéant.

Conclusions

1. Les plastiques présentent un net avantage économique sur les métaux (... $) compte tenu de leur résistance à la corrosion, de leur poids et du coût du produit fini.

2. Les métaux, en revanche, offrent de meilleures propriétés physiques (quantifiées) et une meilleure valeur de rebut (quantifiée).

Recommandations

Selon les estimations, le coût annuel des plastiques sera inférieur de ... $ à celui des métaux. Comme de nouveaux plastiques aux propriétés physiques améliorées (quantifiées) devraient être mis au point d'ici cinq ans, il est recommandé de remplacer les métaux par des plastiques aux fins des opérations d'électroplacage. Les dépenses en immobilisations atteindront environ 200 000 $, montant qui sera recouvré d'ici trois ans.

4. LA TABLE DES MATIÈRES

La table des matières est la liste des questions traitées dans un rapport suivant l'ordre déterminé dans le plan.

Dans un long rapport, il faut présenter en détail les principales subdivisions du rapport (chapitres, sections, sous-sections); on doit aussi s'assurer que les titres figurant dans la table des matières correspondent à ceux du texte et que la pagination est exacte.

Lorsqu'une section du rapport couvre de nombreuses pages, il est parfois opportun d'indiquer dans la table des matières les sous-sections qu'elle peut comporter.

A : **Table des matières**
(avec divisions insuffisantes)

B :   **Table des matières**
                           (avec divisions adéquates)

                                                                         Page

5. LA LISTE DES TABLEAUX ET DES FIGURES[2]

La liste des tableaux et des figures apparaît d'habitude sur une page distincte, après la table des matières[3].

Liste des tableaux et des figures

Page

Tableaux

Figures

---

2. Principes généraux de conception et principaux types de tableaux et figures : voir la section 7.2 du présent chapitre.
3. Dans les rapports techniques, la liste des abréviations et des sigles suit la liste des tableaux et des figures.

Le rapport proprement dit

6. L'INTRODUCTION[4]

Dans un rapport, l'introduction éveille l'attention du lecteur et lui permet de se rendre compte de ce dont on va traiter dans le corps du texte, c'est-à-dire du développement. L'introduction d'un rapport doit être concise. (Elle représente environ le cinquième de l'ensemble d'un rapport.) Elle *n'est pas* destinée à contenir un développement quelconque, ni l'articulation d'une argumentation, ni l'approfondissement d'un raisonnement. L'introduction sert à présenter au lecteur les circonstances qui ont conduit à rédiger le rapport et à annoncer les grandes lignes du développement. Le contenu de l'introduction correspond en gros, mais de façon plus élaborée, à celui de la lettre de confirmation de mandat.

Voici les éléments *susceptibles* d'apparaître dans une introduction :

6.1   l'origine du mandat et le public visé;

6.2   la description du problème;

6.3   le but du rapport;

6.4   les limites et l'étendue du rapport;

6.5   les définitions;

6.6   la méthodologie;

6.7   les remerciements;

6.8   le paragraphe charnière.

6.1 L'origine du mandat et le public visé

Dès le début du rapport, il est important que le lecteur sache d'où provient le mandat (nom et titre du mandant, date de la demande, échéance) et qui sont les destinataires.

---

4.   Partie du texte que l'on distingue de l'avant-propos et de la préface, non utilisée en rédaction de rapport. En effet, l'avant-propos consiste en une courte introduction qui a le plus souvent une valeur d'avertissement. Quant à la préface, elle sert d'habitude à présenter de façon très générale un livre à un public donné.

Origine du mandat	À la demande de M. Richard Lambert, vice-président aux finances, le 2 janvier 199•,
But du rapport	nous avons analysé le bien-fondé de la marche à suivre actuelle en matière de location d'équipement de bureau dans les huit succursales de la société.
Destinataires et	Le présent rapport sera transmis aux membres du conseil de direction
échéances	le 16 février 199• et fera l'objet des discussions du conseil à l'occasion de sa réunion du 2 mars 199•.

6.2 La description du problème

La description du problème à l'origine de la rédaction du rapport doit reposer dans la mesure du possible sur des faits concrets et *quantifiables*. Au lieu d'écrire « le prix de location d'équipement de bureau dans l'ensemble des succursales a dépassé largement les prévisions », il vaut mieux faire reposer le texte sur des données précises, par exemple :

« En 199•, le prix de location d'équipement de bureau dans l'ensemble des succursales s'est élevé à 225 000 $, soit 25 000 $ de plus que les prévisions contenues dans le **Rapport prévisionnel de l'année 199•** du Service des finances. »

Il est souvent suggéré, par ailleurs, de présenter le problème sous forme de questions que se poserait le destinataire principal; par exemple : Quelle action aurais-je à accomplir pour ... ?, Pourquoi devrais-je ... ?

6.3 Le but du rapport

L'indication du but du rapport accompagne la description du problème. On peut le placer soit avant, soit après cette description.

Exemples de disposition

1) Problème à résoudre, puis

Une analyse des fiches d'horodateur révèle un taux d'absentéisme de 14 % pour les employés du Service de la manutention tous les vendredis après-midi.

but du rapport

Le but de notre rapport est de proposer des solutions à ce problème.

ou bien

2) But du rapport, puis problème à résoudre

Le but de notre rapport est de proposer des solutions au problème de l'absentéisme dans le Service de la manutention tous les vendredis après-midi. En effet, une analyse des fiches d'horodateur révèle un taux d'absentéisme de 14 %...

Il convient d'écrire en toutes lettres « Le but de notre rapport consiste à informer/ analyser/recommander... ». En exposant le but du rapport, on indique au lecteur dès le départ s'il est en présence d'un rapport d'information, d'analyse ou de recommandation. C'est le verbe (souvent à l'infinitif) qui révèle la nature du rapport.

6.4 Les limites et l'étendue du rapport

Il est essentiel que l'auteur ait fixé exactement les limites et l'étendue de son rapport. Les limites désignent les contraintes extra-linguistiques imposées à l'auteur; par exemple : budget de réalisation limité, échéances restreintes, absence d'appui technique. Quant à l'étendue d'un rapport, elle consiste en l'ampleur qu'on entend lui donner.

On doit se rappeler qu'à défaut d'un mandat très clair, il est à peu près impossible de savoir comment traiter une demande du type : « Faites-moi un rapport d'information sur les possibilités d'implantation d'un magasin de détail à Champlain. » Doit-on produire un rapport court ou long ? Comment doit-on le subdiviser ? Combien de facteurs faut-il retenir ? Autant de questions que l'auteur du rapport se posera en vain.

Autre exemple : un professeur de philosophie qui demande à un étudiant « Qu'est-ce que l'homme moderne ? » essaie de savoir si sa pensée est bien organisée. La question, pourtant frustrante à première vue pour l'étudiant, vise moins à obtenir un énoncé d'éléments qu'à vérifier comment l'étudiant s'y prendra pour délimiter un sujet. Mais pourrait-on concevoir un tel exercice hors d'un contexte scolaire ? Serait-il sensé de demander à un employé de General Motors de faire un rapport d'analyse sur l'automobile, sans lui fournir aucun détail ?

Si l'on ne dispose pas d'un mandat très clair, il faut retenir divers facteurs pour délimiter son sujet : le temps, le lieu, le type d'activité, etc. Si l'on reprend l'exemple ci-dessus – un rapport d'analyse sur l'automobile – on peut en circonscrire ainsi l'étendue :

Objet du rapport	*Rapport d'analyse sur l'automobile*
Type d'automobiles	Voitures *décapotables américaines*
Activité commerciale	*Ventes* de voitures décapotables américaines
Aire géographique	Rapport d'analyse des ventes de voitures décapotables américaines à *Chicoutimi-Nord*
Période couverte	*199•*
Étendue complète du rapport	Analyse des ventes de voitures décapotables américaines à Chicoutimi-Nord en *199•*

L'étendue du rapport dépend largement du temps dont l'auteur dispose pour le rédiger.

Vous travaillez pour un fabricant de cloisons de bureau à Lachine. Il est vendredi 16 h et vous êtes conscient que votre principal fournisseur de tissus accuse depuis trois mois des retards dans la livraison de presque toutes les commandes. Votre patron, avec qui vous avez des rapports distants, est insatisfait de cette situation et vous demande de comparer les services offerts par les divers fournisseurs établis au Québec et de proposer des solutions au problème. Or, comme il tient à présenter les résultats de vos recherches à 8 h 30 le mercredi suivant à l'occasion d'une réunion importante du conseil de direction, il ne vous accorde que deux jours pour rédiger votre rapport. En outre, vous devrez faire le travail seul.

Il n'existe que sept fournisseurs au Québec, tous de la région de Montréal, et il est indispensable que vous fassiez des visites d'usine. Or, comme chacune des visites chez un fournisseur dure au moins trois heures, vous ne pouvez tous les visiter. De plus, il faut prévoir environ une journée pour rédiger, saisir et photocopier le texte, car les membres du conseil de direction devront avoir en main un exemplaire de votre rapport au moment de la réunion.

Comme vous ne disposez que de deux jours et qu'aucun travail semblable n'a été effectué dans le passé, vous devez en définitive *limiter* votre rapport à l'examen des services offerts par certains fournisseurs et présenter à cet égard des explications dans votre introduction.

Dans l'exemple, il est précisé que vous entretenez avec votre patron des rapports distants. Si vous omettez des explications dans l'introduction quant au choix des fournisseurs, les membres du conseil pourront vous reprocher d'avoir effectué un travail incomplet. Il n'est pas sûr que votre patron prendrait alors votre défense. Au fond, peut-être celui-ci est-il le grand responsable du délai déraisonnable, mais l'admettra-t-il ? Dans la négative, accepteriez-vous d'être le bouc émissaire ?

6.5 Les définitions

Parmi les éléments susceptibles de figurer dans l'introduction, mentionnons les définitions. Il est nécessaire de préciser, dès le début d'un texte adressé à des non-spécialistes, les termes techniques qui seront employés; par exemple, qu'entend-on par *préfaisabilité* (par opposition à *faisabilité*) dans le titre d'un rapport intitulé « Étude de préfaisabilité du produit Zède » ? Toutefois, si au lieu de définir deux ou trois termes techniques, l'auteur est conduit à élaborer un véritable glossaire ou une liste des symboles et abréviations, ou l'un et l'autre, ils sont à placer à la fin du rapport, avant ou après les annexes. Dans un tel cas, il est souvent utile d'accompagner d'un astérisque les termes techniques employés en contexte.

Provitamine*

_____

Note en bas de page : * Ce terme est défini dans le Glossaire, p. 26.

6.6 La méthodologie

C'est dans l'introduction qu'on précise le mode de rassemblement et de traitement des données. Il est à noter que si la méthodologie est détaillée et qu'elle occupe une place importante dans le rapport, sa présentation constituera la première partie du développement. On peut recueillir des données par voie de simple observation (ex. : compter le nombre d'employés qui sont absents tous les vendredis après-midi), de recherches documentaires (ex. : consulter des revues scientifiques ou des publications gouvernementales) ou d'enquête (ex. : rencontrer les personnes les plus souvent absentes les vendredis après-midi, communiquer avec elles par téléphone ou par lettre).

> Dans la première partie du rapport, nous procéderons par regroupement de postes budgétaires en portant plus particulièrement notre attention sur... Dans la seconde partie, nous traiterons les données selon la méthode de comptabilité d'inflation proposée par...

6.7 Les remerciements

En l'absence d'une lettre de transmission, les remerciements peuvent apparaître dans une section autonome précédant immédiatement l'introduction ou figurant à la fin de celle-ci, tout juste avant le paragraphe charnière.

Il est recommandé de remercier toutes les personnes qui ont fourni de l'aide ou du moins la plupart d'entre elles. Des mentions à cet égard ne peuvent nuire, alors que certains oublis peuvent se révéler funestes.

Voici quelques formules usuelles de remerciement :

> Nous tenons à remercier...
>
> Nous tenons à exprimer notre gratitude à...
>
> Nous sommes reconnaissant à / très obligé envers... (à noter qu'il s'agit du « nous » de modestie).
>
> Nous éprouvons une reconnaissance spéciale envers...

7. LE DÉVELOPPEMENT

Le développement constitue le corps du texte. Il comprend les « faits » et, souvent, une section « analyse » à partir de laquelle il sera possible de formuler une conclusion et, le cas échéant, des recommandations.

7.1 Les modes d'organisation

Il va de soi que le développement doit être organisé logiquement. Dans l'exemple ci-après, si l'on entendait proposer à la direction de retenir l'entreprise XXX comme fournisseur, il serait plus logique de faire l'examen des services qu'il peut offrir à la fin de la section 2, tout juste avant la conclusion, plutôt qu'au milieu de cette section. La transition du développement à la conclusion serait ainsi plus naturelle.

---

1) • Introduction

  • Développement

    1. Situation actuelle : difficultés d'obtenir des pièces de rechange

    2. Solution possible : changer de fournisseur - analyse

      a) Fournisseur CCC

      b) Fournisseur XXX

      c) Fournisseur BBB **mieux** ➡

  • Conclusion

2) • Introduction

  • Développement

    1. Situation actuelle : difficultés d'obtenir des pièces de rechange

    2. Solution possible : changer de fournisseur - analyse

      a) Fournisseur BBB

      b) Fournisseur CCC

      c) Fournisseur XXX

  • Conclusion

Selon le deuxième plan ci-dessus, on traite d'abord des solutions inapplicables (ici, les fournisseurs BBB et CCC), et en dernier lieu, la solution (ici, le fournisseur XXX); l'auteur qui adopte le deuxième plan vise à convaincre le lecteur de l'intérêt de s'approvisionner auprès du fournisseur XXX.

* * *

La démarche comparative, ou contrastive, consiste à faire ressortir les points forts et les points faibles, les avantages et les inconvénients ou les similarités et les divergences entre deux ou plusieurs objets. L'organisation des éléments, de par sa structure même, produit sur le lecteur un effet qui n'est pas toujours recherché par l'auteur. Comparons les trois exemples de plan suivants :

Plan n° 1	Plan n° 2	Plan n° 3
1. Québec	1. Exploitation des ressources naturelles	1. Similarités

a) Exploitation des ressources naturelles
    b) Investissement
	a) Québec
	    b) Ontario
		• Exploitation des ressources naturelles au Québec et en Ontario

2. Ontario	2. Investissement	2. Divergences

a) Exploitation des ressources naturelles
    b) Investissement
	a) Québec
	    b) Ontario
		• Investissement au Québec et en Ontario

↑	↑	↑
À moins que l'auteur ne prenne soin de faire référence à l'Ontario en 1 et de faire référence au Québec en 2, ce mode d'organisation risque de donner lieu en fait à deux rapports successifs et distincts.	On évite ici le danger que présente le plan n° 1 en traitant point par point les éléments de la comparaison.	Cette dernière solution serait à recommander si l'auteur souhaitait faire ressortir les similarités et les divergences entre le Québec et l'Ontario. L'ordre des éléments revêt en effet de l'importance selon la conclusion.

Imaginons maintenant que le but de l'auteur est simplement de rendre compte de ses activités (ex. : produire un rapport mensuel des ventes). Il serait inutile dans un tel cas de recourir à de longues phrases introductives. Il vaudrait mieux concevoir un formulaire dont le titre comprendrait les deux éléments clés de l'introduction de ce type de rapport, soit l'objectif (ex. : Rapport mensuel des ventes de... ou Rapport d'étape de... sur...) et la période couverte (ex. : Janvier 199• ou Premier trimestre 199•). Le développement porterait sur la présentation et l'explication des données. D'ordinaire, la présentation des données dans les rapports périodiques suit l'ordre chronologique passé-présent-avenir, travail accompli-travail à faire, etc. On doit mettre ces données en regard d'autres données afin de permettre au lecteur de se former une opinion sur le travail accompli.

La nature des explications correspond à celle de la partie analyse que nous avons vue dans l'introduction du présent ouvrage (cf. rapports d'information, d'analyse et de recommandation).

Bureautique Wolfe inc.

5175, boul. Laprairie

Trois-Rivières (Québec)

G9A 1B8

RAPPORT MENSUEL DES VENTES

JANVIER 199•

Destinataire :

Expéditeur :

Date :

(Remplissez **toutes** les cases.)

	Mois précédent	Mois en cours	Mois correspondant de l'année précédente
VENTES			
Produits X			
X 100			
X 200			
X 300			

X 400 _____

Commentaires : _____

_____

Produits Y

Y 100 _____

Y 200 _____

Y 300 _____

Commentaires : _____

_____

Produits divers

_____   _____

_____   _____

Commentaires : _____

VENTES

Produits X   _____ $ _____ $ _____ $

Produits Y   _____ $ _____ $ _____ $

Produits divers _____ $ _____ $ _____ $

Commentaires : _____

_____

PRODUITS EN
STOCK

X 100 _____

X 200 _____

X 300 _____

X 400 _____

Y 100 _____

Y 200 _____

Y 300 _____

Produits divers _____

Commentaires : _____

_____

CONCLUSION _____

_____

Signature : _____

Nota : *Dans un questionnaire ou un formulaire, on inscrit néant (et non nil) pour indiquer une valeur nulle. La mention sans objet ou l'une des abréviations s.o., S.O., s/o ou S/O (et non N/A, qui est d'usage anglais) indique que la question ne s'applique pas.*

S'il s'agit de rédiger au long un rapport périodique, le plan du développement pourra revêtir la forme illustrée par l'exemple suivant :

BUT : Faire ressortir l'augmentation des ventes des bracelets Montparnasse en Gaspésie au cours des trois dernières années

1. Introduction

2. Croissance des ventes

   2.1 1989 : ventes de 125 000 $

      2.1.1 Ratio ventes-bénéfices

      2.1.2 Frais généraux

      2.1.3 Personnel

   2.2 1990 : ventes de 675 000 $

      2.2.1 Ratio ventes-bénéfices

      2.2.2 Frais généraux

      2.2.3 Personnel

   2.3 1991 : ventes de 1 400 000 $

      2.3.1 Ratio ventes-bénéfices

      2.3.2 Frais généraux

      2.3.3 Personnel

   2.4 Tableau récapitulatif

3. Conclusion

Voici d'autres modes d'organisation du développement.

A) **Du général au particulier**

BUT : Rédiger un dépliant publicitaire à l'intention du grand public

1. Historique des Outils Titan

2. Caractéristiques

    2.1 Résistance

    2.2 Durabilité

    2.3 Prix abordable

3. Gamme de produits

    3.1 Clés

    3.2 Limes

    3.3 Tournevis

4. Pour en savoir plus long...

        Nom et adresse

        du détaillant

    (p. ex. : une quincaillerie)

B) Problème-solution

BUT : Remplacer une chaudière au Palais des Arts

1. Problème : coût d'utilisation élevé de la chaudière actuelle, soit 392 994 $ par année

2. Besoins énergétiques du Palais des Arts

3. Solution : remplacement de la chaudière actuelle

    3.1 Modèle A

        3.1.1 Description

        3.1.2 Aspects contractuels

        3.1.3 Mode de financement

3.1.4 Coût total de 210 000 $

3.1.5 Avantages et inconvénients[5]

3.2 Modèle B

3.2.1 Description

3.2.2 Aspects contractuels

3.2.3 Mode de financement

3.2.4 Coût total de 318 205 $

3.2.5 Avantages et inconvénients[6]

4. Conclusion et recommandation : adoption du modèle B

C) Du plus important au moins important

BUT : Transmettre au client les résultats de l'inspection d'une voiture d'occasion

1. Introduction

1.1 Besoins du client : connaître l'état général de la voiture et les réparations à effectuer

1.2 Explication du travail d'inspection

2. Problèmes révélés à la suite de l'inspection

2.1 Train avant et direction

2.2 Transmission

2.3 Coût approximatif des réparations

3. Éléments jugés satisfaisants

3.1 Moteur

3.2 Freins

3.3 Système électrique

3.4 Système de chauffage et de climatisation

3.5 Carosserie

4. Conclusion

---

5. Dans les rapports d'analyse où l'auteur passe en revue les différentes solutions possibles, leurs avantages et inconvénients sont souvent examinés sur le triple plan du coût d'*implantation*, du *rendement sur investissement* et des *avantages non financiers ou difficilement quantifiables* (ex. : motivation des employés, satisfaction du client).

6. Dans le corps même de la section 3.1.5, les avantages précéderaient les inconvénients. Toutefois, on inverserait cet ordre de présentation dans la section 3.2.5, afin de terminer le rapport sur une note positive, c'est-à-dire sur les avantages du modèle B.

Le développement peut aussi être structuré suivant d'autres principes d'organisation : thèse/antithèse/synthèse, causes/conséquences, élément familier/non familier, aire spatiale (ex. : de l'est à l'ouest, de l'intérieur vers l'extérieur, du bas vers le haut), fractionnement d'une activité (ex. : nettoyage, arrosage, coupage), division administrative (ex. : fabrication, comptabilité, expédition). C'est d'après le contexte de rédaction que l'auteur saura choisir le mode d'organisation le plus approprié.

7.2 Les graphiques

Parmi les différentes figures qui apparaissent dans un rapport, les graphiques sont sans doute les plus fréquemment utilisés[7]. Ils servent à présenter des données à l'aide de lignes, d'images, etc., et ont pour objet de simplifier une démonstration, de schématiser des statistiques, d'illustrer l'évolution de phénomènes, etc. Bref, les graphiques visent à attirer l'attention sur un point, à faciliter la compréhension et à communiquer des données qui autrement pourraient sembler confuses. Ils présentent, par opposition aux tableaux (série de nombres organisés en lignes et en colonnes), souvent indigestes, l'avantage d'être des inventaires visuels qui font ressortir les *relations* entre les éléments. En revanche, malgré leur faible attrait visuel, les tableaux offrent parfois l'avantage de pouvoir comporter beaucoup de données. Et ils sont souvent le seul moyen d'illustrer plusieurs variables d'un certain nombre d'éléments.

Dans les pages qui suivent, nous décrirons les principes généraux de conception et les caractéristiques des graphiques les plus usuels.

7.2.1 Les principes généraux de conception

Comme pour le but du rapport, il est indispensable que vous ayez une idée claire du *but* du message que vous voulez transmettre à l'aide d'un graphique; le choix du graphique en dépend.

---

7. Nous nous limitons aux graphiques destinés à rendre compte de relations portant sur des quantités (ex. : l'écart des ventes des produits A et B sur une période de trois mois). Sont donc exclus de la présente étude les graphiques centrés sur un objet (photographie, dessin, diagramme, carte) ou sur un procédé (graphique de cheminement ou des étapes de montage d'un objet).

En général, on fait appel à des graphiques pour souligner 1) soit *l'évolution* d'un phénomène (graphique linéaire pour une *variation* dans le temps et graphique à colonnes pour la *répartition* d'éléments dans des catégories), 2) soit la *décomposition* d'un ensemble (graphique circulaire pour indiquer la *proportion* d'un élément donné par rapport à un tout et graphique à barres pour montrer la p*osition* d'éléments les uns par rapport aux autres) et 3) soit encore la *corrélation* entre deux ou plusieurs variables (graphique à doubles barres pour un *petit nombre* de variables et graphique à points pour un *grand nombre* de variables). Le choix d'un type de graphique n'obéit pas à des principes rigides.

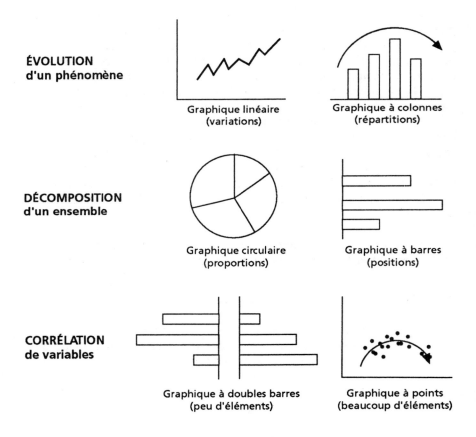

ÉVOLUTION d'un phénomène

Graphique linéaire
(variations)

Graphique à colonnes
(répartitions)

DÉCOMPOSITION d'un ensemble

Graphique circulaire
(proportions)

Graphique à barres
(positions)

CORRÉLATION de variables

Graphique à doubles barres
(peu d'éléments)

Graphique à points
(beaucoup d'éléments)

FIGURE 1 — **Types de graphiques**

Le titre d'un graphique doit être aussi concis et complet que possible. Il est à placer en position centrée au bas du graphique. Un titre bien conçu traduit l'essentiel du message à transmettre et doit permettre de répondre aux questions suivantes :

Quoi ?	Volume des transactions
Qui ?	Des arbitragistes
Où ?	New York
Comment ?	Par catégories de titres
Quand ?	De 1985 à 1990
Combien ?	En millions de dollars américains

Dans certains cas, lorsque le ton du texte s'y prête, on peut faire précéder le graphique d'un message-éclair.

Nette diminution des ventes à l'automne

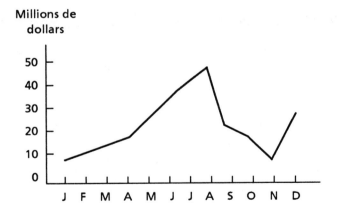

Figure 2 — **Évolution mensuelle des ventes de cigarettes au Québec en 199•**

En fait, il est même parfois opportun que le *titre* du graphique soit le message lui-même. Par exemple, pour ce qui est de la figure 3 ci-après, si votre message est que la valeur du produit B quadruple, pourquoi ne pas en faire le titre du graphique, c'est-à-dire donner à ce dernier un titre-message ?

Voici comment on pourrait transformer le titre de certains graphiques :

Titre classique		**Titre-message**
Évolution du rendement annuel du Bureau de la traduction de 1975 à 1980	➡	Forte diminution du nombre de mots traduits
Ventes de décapotables à Trois-Rivières, Chicoutimi et Sherbrooke de 1987 à 1991	➡	Deux fois plus de décapotables vendues à Sherbrooke qu'ailleurs au Québec
Ventes des succursales de la société Ixe au Québec en 199•	➡	Avec 60 % des ventes, Trois-Rivières devance largement le peloton

L'échelle commence à zéro et suit toujours une progression arithmétique.

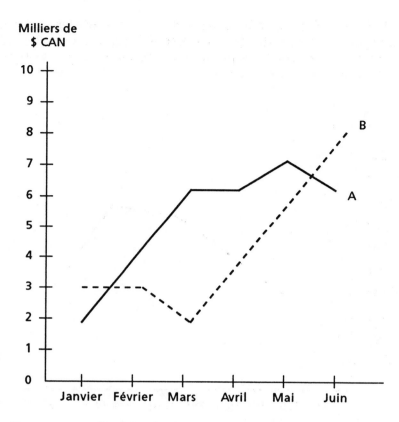

FIGURE 3 — Fluctuation de la valeur des produits A et B de janvier à juin 199•

Toutefois, il arrive que la ligne de cette progression doive être interrompue par commodité (ex. : ci-dessous la rupture entre 0 et 200). Cette rupture s'exprime alors par un trait oblique placé entre les deux premiers facteurs de la progression.

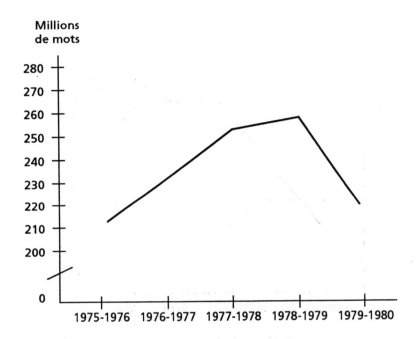

FIGURE 4 — **Évolution du rendement annuel du Bureau de la traduction de 1975 à 1980**

On peut aussi employer d'autres moyens graphiques pour illustrer une rupture de progression arithmétique :

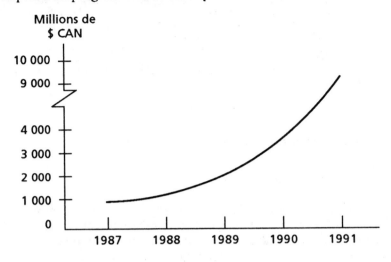

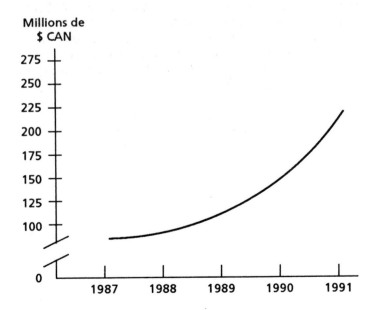

FIGURE 5 — **Exemples d'une rupture de progression arithmétique**

NOTA : • *L'unité de mesure est à indiquer en haut de l'axe vertical.*
       • *Par convention, le temps est toujours inscrit sur l'axe horizontal.*
       • *Il est conseillé d'utiliser des divisions le long des axes pour mieux illustrer les valeurs numériques.*
       • *L'emploi de couleurs constitue une excellente méthode de mise en relief.*
       • *La courbe illustre une fonction : relation quantité-temps, quantité-coûts, etc.*

7.2.2 L'évolution d'un phénomène

7.2.2.1 Le graphique linéaire

Sans doute le plus utilisé de tous, le graphique linéaire représente à l'aide d'une courbe l'évolution d'un phénomène au cours d'une période déterminée. La courbe illustre des mouvements, des tendances : évolution mensuelle des ventes; pourcentage de chômeurs dans une région, réparti sur plusieurs années; prévisions de croissance; etc. Dans le graphique linéaire, l'accent porte sur les *changements dans le temps*, tandis que dans le graphique à colonnes (voir ci-après), ce sont les quantités elles-mêmes qui sont représentées. Comme on peut tracer deux ou trois courbes sur un graphique linéaire, il peut illustrer de nombreuses données.

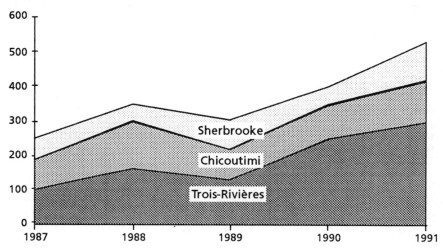

FIGURE 6 — **Ventes de décapotables à Trois-Rivières,
Chicoutimi et Sherbrooke de 1987 à 1991**

On indique le temps sur l'axe horizontal (abscisse) et l'évolution
d'un phénomène sur l'axe vertical (ordonnée).

NOTA : *On doit éviter de faire figurer plus de trois courbes dans le même
graphique.*

Bien qu'il ait la vertu d'illustrer clairement l'**évolution** d'un phénomène, le graphique linéaire est parfois moins précis qu'un tableau,
comme il ressort de la comparaison entre le graphique et le tableau ci-
après :

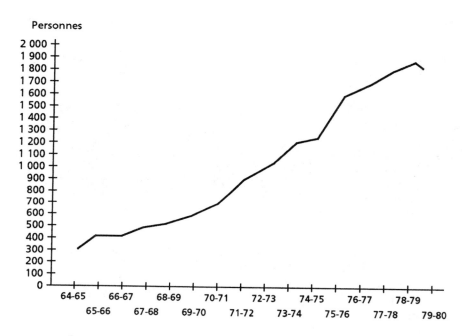

FIGURE 7 — **Personnel du Bureau de la traduction
de 1964 à 1980**

**Tableau 1 – Personnel du Bureau de la traduction
de 1964 à 1980**

1964-1965	339	1972-1973	1 118
1965-1966	422	1973-1974	1 306
1966-1967	435	1974-1975	1 368
1967-1968	501	1975-1976	1 750
1968-1969	525	1976-1977	1 863
1969-1970	621	1977-1978	1 899
1970-1971	730	1978-1979	1 908
1971-1972	950	1979-1980	1 844

NOTA : *Dans un tableau, le titre se place au-dessus des données, ce qui n'est pas le cas dans un graphique. Les notes explicatives ou la source des renseignements figurent au bas du tableau.*

Il faut également garder à l'esprit que les modifications apportées aux échelles arithmétiques transforment l'aspect visuel des courbes.

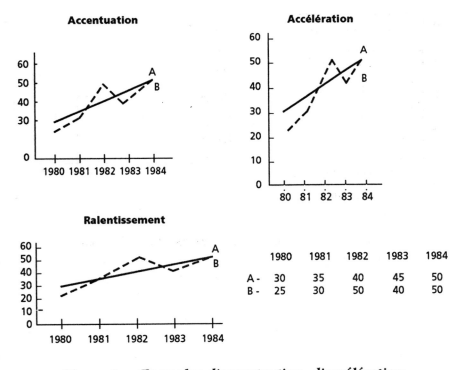

Figure 8 — Exemples d'accentuation, d'accélération
et de ralentissement

7.2.2.2 Le graphique à colonnes

Le graphique à colonnes est constitué de rectangles de même largeur, placés côte à côte ou séparés par des espaces. La hauteur de chaque rectangle indique la valeur d'une donnée.

Les rectangles peuvent être disposés horizontalement (graphique à barres) ou verticalement (graphique à colonnes). Bien qu'il ne s'agisse pas de principes rigides, le graphique à barres sert d'habitude à comparer des éléments à un moment donné (ex. : la quantité de produits vendus au cours d'un semestre), tandis que le graphique à colonnes illustre le plus souvent l'évolution d'un même produit au cours d'une certaine période.

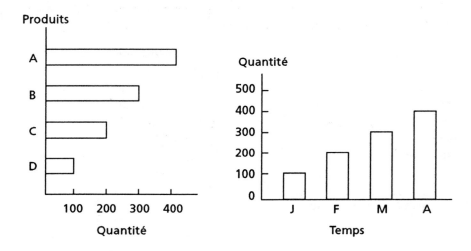

Figure 9 — Graphiques à barres et à colonnes

Le graphique à colonnes montre l'augmentation ou la diminution de la valeur d'un ou de plusieurs éléments au cours d'une période. Il illustre des niveaux ou des grandeurs.

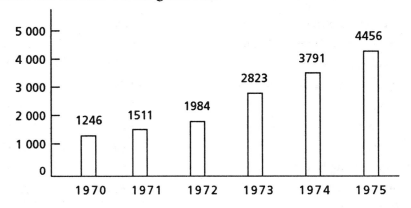

Figure 10 — Nombre d'employés au 31 décembre des années 1970 à 1975

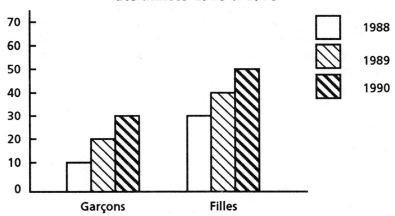

Figure 11 — Garçons et filles inscrits au programme Ixe au cours des années 1988, 1989 et 1990

NOTA : *Il est recommandé de n'utiliser que trois variables au maximum. Quand les colonnes ne sont pas côte à côte, l'espace qui les sépare doit être égal ou inférieur à la largeur d'une colonne.*

Dans l'exemple ci-dessous, on constate que le graphique à colonnes est particulièrement utile pour comparer le nombre d'inscriptions
dans chacun des secteurs de l'Université du Québec en 1985 et 1989.

Secteur d'étude	1985	1989
Sciences de l'administration	25 947	24 839
Sciences humaines	15 335	20 054
Sciences pures et appliquées	14 431	9 567
Autres	13 197	14 585
Lettres	4 288	4 570
Arts	3 471	3 150
Sciences de la santé	1 945	1 575
Total	78 614	78 340

Bien que le graphique à colonnes ci-après permette de procéder à
des comparaisons, il n'indique pas le pourcentage de chacun des secteurs d'étude par rapport à l'ensemble des inscriptions à l'Université du
Québec. On parvient à illustrer un tel rapport grâce au graphique circulaire, mais il serait plus difficile de s'en servir pour comparer des
données annuelles.

Graphique à colonnes

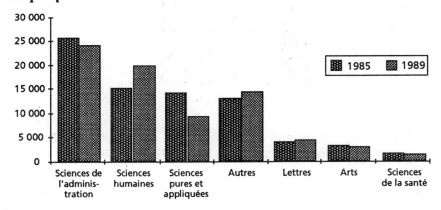

Graphiques circulaires

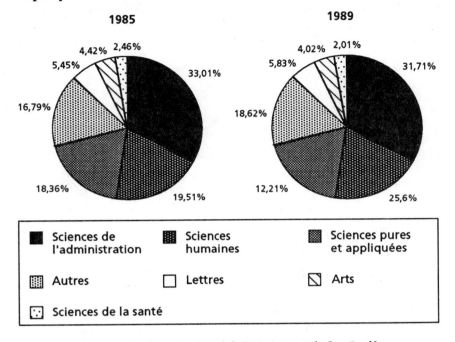

FIGURE 12 — **Inscriptions à l'Université du Québec en 1985 et 1989**

Le graphique à colonnes consiste en un graphique des écarts (graphique à colonnes divergentes), qui sert à illustrer les aspects positifs et négatifs d'un élément d'information (ex. : les bénéfices par rapport aux pertes d'une succursale, les uns et les autres portés sur l'axe du temps).

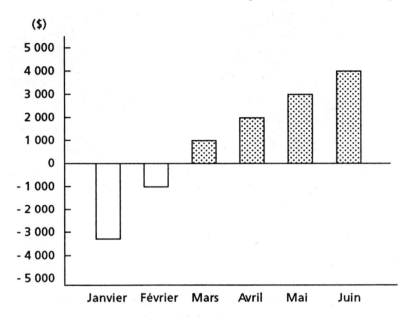

FIGURE 13 — **Graphique des écarts**

7.2.3 La décomposition d'un ensemble

7.2.3.1   Le graphique circulaire

Le graphique circulaire, parfois appelé camembert, permet de représenter la proportion en pourcentage ou en valeur numérique d'une quantité mesurable. On s'en sert d'habitude pour illustrer des données approximatives, plutôt que des données très précises. Le cercle est divisé en secteurs montrant l'importance relative d'un élément par rapport au tout (100 %) et par rapport aux autres. Les divers éléments sont placés du moins important au plus important (ou du plus important au moins important) suivant le sens des aiguilles d'une montre. C'est à partir d'une barre verticale, tracée à midi, que l'on aménage les différents secteurs :

NOTA : **Contrairement à la façon de procéder pour un graphique linéaire, la légende ou les explications sont soit intégrées au graphique circulaire lui-même, soit présentées au-dessous, dans ce second cas pour permettre une compréhension immédiate des données.**

Pour obtenir la proportion d'une valeur en pourcentage et par rapport au cercle, on applique la *règle de trois*.

$$\text{Si} \quad 100\,\% \quad = \quad 360°$$

$$x \quad = \quad ?$$

$$\text{Pour } x \quad = \quad 20\,\%$$

$$\text{On obtient :} \quad \frac{20 \times 360}{100} \quad = 72°$$

On pourra aussi, pour accélérer le calcul, se reporter au tableau suivant.

Tableau 2 – Équivalence pourcentage/angle

Pourcentage	Angle au centre (en degrés)	Pourcentage	Angle au centre (en degrés)
1	3,6	40	144
5	18	45	162
10	36	50	180
15	54	55	198
20	72	60	216
25	90	65	234
30	108	70	252
35	126	75	270

Graphique à secteurs non séparés sans contrastes

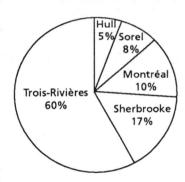

Graphique à secteurs séparés sans contrastes

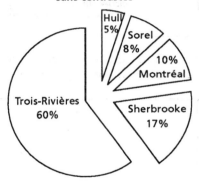

Graphique à secteurs séparés avec contrastes

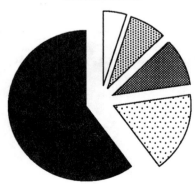

FIGURE 14 — **Ventes des succursales de la société Ixe au Québec en 199•**

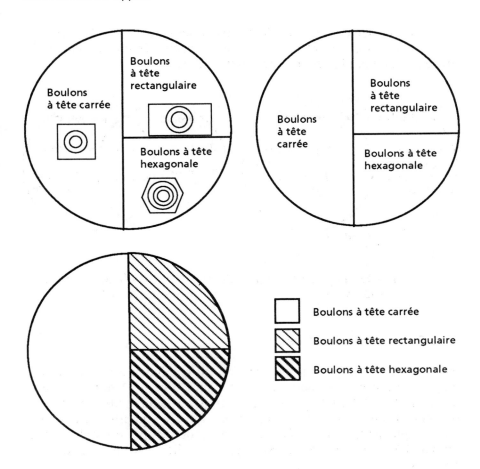

FIGURE 15 — **Types de boulons**

Il est à noter que le graphique circulaire est à utiliser pour montrer les rapports d'un maximum de cinq ou six éléments entre eux ou avec un ensemble, car si l'on dépassait ce chiffre, les tranches deviendraient trop minces et difficiles à distinguer. Si l'on veut y signaler un plus grand nombre d'éléments, on utilise une tranche « Divers » en fournissant des explications à ce sujet dans une note.

Il est également possible de combiner des cercles pour faire ressortir les divergences ou les similitudes entre deux éléments[8], comme l'illustrent les deux diagrammes de Venn ci-dessous :

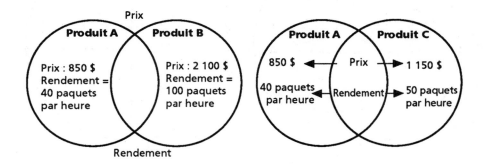

FIGURE **16 — Divergences entre les produits A et B**   FIGURE **17 - Similitudes entre les produits A et C**

7.2.3.2   Le graphique à barres

Les remarques portant sur l'élaboration du graphique à colonnes s'appliquent aussi au graphique à barres. Comme nous l'avons vu précédemment (v. 7.2.2.2), le graphique à barres sert d'habitude à montrer le rendement d'un ensemble ou les valeurs qui s'y rapportent en comparant ses éléments constitutifs à un moment donné; par exemple, la part du marché d'un entrepreneur par rapport à celle de ses principaux concurrents.

---

8. Pour des raisons de clarté, il est souvent préférable d'avoir recours à un arbre de décision ou à un graphique de cheminement quand il faut confronter plus de deux éléments. Ces modes de représentation graphique, contrairement au graphique circulaire qui sert à répondre à la question « Quoi ? », permettent plutôt de répondre à la question « Quoi faire ? ».

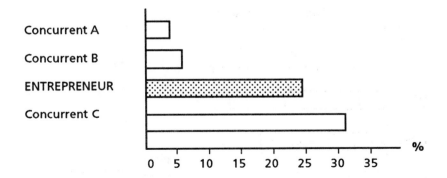

**FIGURE 18 — La part du marché de l'entrepreneur
se situe au deuxième rang (titre-message)**

Les barres groupées et subdivisées constituent une autre façon de présenter les éléments qui forment un tout :

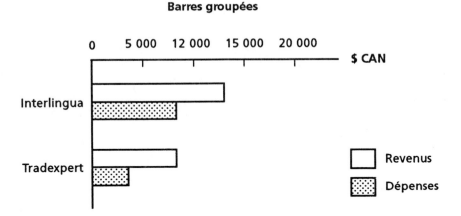

**FIGURE 19 — Revenus et dépenses d'Interlingua
et de Tradexpert en 199•**

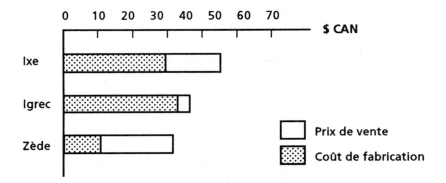

FIGURE 20 — **La marge bénéficiaire d'Igrec est la plus faible (titre-message)**

7.2.4 La corrélation de variables

7.2.4.1 Le graphique à doubles barres

Le graphique à doubles barres sert à montrer s'il y a ou non une relation entre deux variables et, le cas échéant, si elle est conforme à ce que l'on a prévu à leur sujet; par exemple, on y a recours pour montrer si le montant d'une prime est fonction du salaire, si la production des employés correspond à leur expérience, si les bénéfices augmentent proportionnellement au volume des ventes ou si encore le volume des ventes grimpe suivant l'importance des remises.

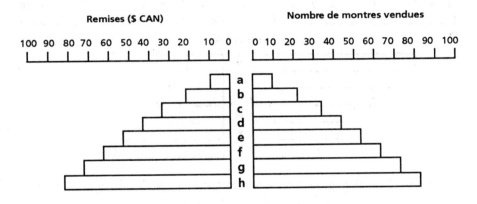

FIGURE 21 — **Il y a corrélation parfaite entre les remises et le volume des ventes de montres Montparnasse**

Entre les deux séries de barres, qui représentent les deux variables à examiner, on laisse un espace pour y inscrire différentes valeurs (ici, a, b, c, etc., qui désignent des représentants). D'habitude, lorsque l'image de gauche reflète comme dans un miroir l'image de droite, la corrélation espérée est confirmée. Pour qu'il en soit ainsi, il n'est cependant pas nécessaire que la partie droite du graphique reflète en miroir l'image de la partie gauche. Tout dépend de la relation à illustrer; par exemple, si l'on prévoit que la diminution des prix entraîne une augmentation des ventes.

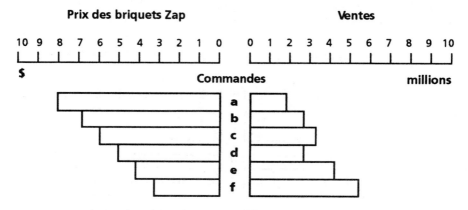

FIGURE 22 — Il y a une relation entre le prix des briquets Zap et le volume de leurs ventes

Cet exemple est repris ci-après pour le graphique à points. C'est quand le nombre de données est élevé qu'on adopte un graphique à points au lieu d'un graphique à barres (12 à 15 au maximum).

7.2.4.2   Le graphique à points

Le graphique à points (ou diagramme de dispersion) sert à déterminer si la relation entre deux variables est vraiment conforme à ce que l'on suppose. Par exemple, si on croit que le prix des articles diminuera suivant l'augmentation du volume des ventes, on prévoira une ligne de régression orientée vers le bas :

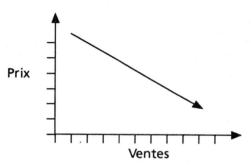

Si un nuage de points se forme autour de la ligne ou de la courbe de régression, qu'il est souvent opportun d'intégrer au graphique, il y aura corrélation entre la diminution des prix et l'accroissement des ventes.

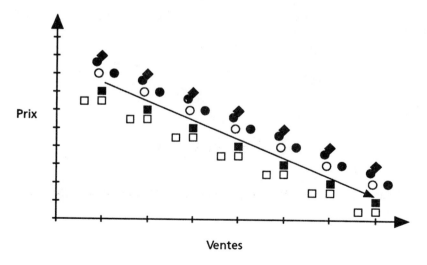

Le graphique à points présente souvent une apparence confuse. Il faut donc expliquer clairement au lecteur ce que signifient les points et comment interpréter les résultats qui y apparaissent.

7.2.5 Le graphique à images

Dans un graphique à images, ou pictogramme, les données sont représentées par des images dont les proportions traduisent un ordre de grandeur. (Nous n'examinerons pas ici les cartogrammes ou les éclatés qui procèdent en quelque sorte de la reproduction photographique.)

<table>
<tr><td style="text-align:center">50 000</td><td style="text-align:center">15 000</td></tr>
<tr><td style="text-align:center">Nombre de maisons construites en 1985</td><td style="text-align:center">Nombre de maisons construites en 1965</td></tr>
</table>

FIGURE 23 — **Nombre de maisons construites en 1985 et 1965**

Le graphique à images sert à présenter les données statistiques d'une façon plus vivante.

1985	☺ ☺ ☺ ☺ ☺ ☺
1980	☺ ☺ ☺
1975	☺ ☺
1970	☺

☺ = 1 000 joueurs

FIGURE 24 — **Nombre de joueurs de minibasket au Québec**

Signalons aussi qu'on peut combiner les structures de base des graphiques pour augmenter l'impact du message.

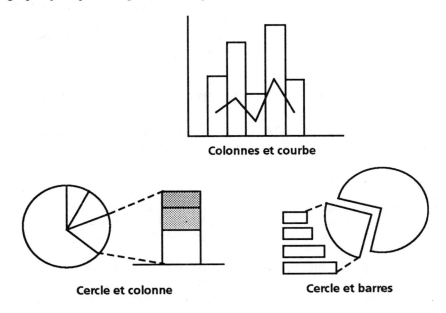

Colonnes et courbe

Cercle et colonne   **Cercle et barres**

FIGURE 25 — **Combinaison des structures de base d'un graphique**

Quel que soit le mode de représentation visuelle choisi, il est capital que le graphique soit :

précis Les ambiguïtés ou inexactitudes jetteront un doute sur la qualité du travail; par exemple, il faut éviter de mettre dans la même colonne des statistiques sur les projets exécutés ou en voie d'exécution, c'est-à-dire ce qui est fait ou ce qui est en train de se faire.

simple Il ne faut pas que le lecteur ait à se creuser la tête pour comprendre un graphique.

bien intitulé La clarté est un impératif.

complémentaire du texte Les graphiques présenteront peu d'intérêt s'ils sont perdus dans des annexes. Ils doivent être mariés au texte, lui donner du tonus.

accompagné d'explications   Pour éviter les ambiguïtés et les erreurs d'inteprétation, on doit faire suivre les graphiques d'explications. *Il faut garder à l'esprit que les données non interprétées sont tout aussi indésirables que le sont les affirmations gratuites.*

8.   LA CONCLUSION ET LES RECOMMANDATIONS

L'*introduction* consiste essentiellement à circonscrire le problème et à annoncer ce qui suit. Le *développement* a pour objet de décrire le problème (rapport d'information), de l'analyser (rapport d'analyse) ou de proposer des solutions (rapport de recommandation), selon le cas. Quant à la *conclusion*, sa fonction est de permettre la synthèse de ce qui précède, en énonçant ce qui a été effectué, ce qui est important, s'il y a lieu, les lacunes ou les limites de validité, et enfin, les perspectives et les applications de l'étude effectuée (son suivi, ses prolongements).

La conclusion offre à l'auteur une dernière occasion de préciser sa pensée et de montrer la concordance entre l'objet du rapport et le résultat de ses recherches. Soulignons qu'aucun élément de conclusion ne doit apparaître dans l'introduction et qu'aucun renseignement nouveau n'est censé se trouver dans la conclusion.

Par ailleurs, rappelons la nécessité de connaître la conclusion avant de rédiger la version définitive du rapport, car c'est elle qui détermine l'ordre des éléments du développement.

En outre, il faut prendre soin de ne pas formuler trop hâtivement des conclusions.

Vous travaillez pour une entreprise qui fabrique des montres. En 1987, les retours attribuables à des défectuosités ont atteint 3,1 % des ventes. Une analyse des résultats des cinq années précédentes révèle que la proportion des retours était nettement moins élevée pendant ces années :

Année	Retours (%)
1987	3,1
1986	1,1
1985	1,2
1984	1,7
1983	1,3
1982	1,6

On pourrait conclure que les montres étaient de meilleure qualité ou de fabrication plus soignée avant 1987; d'autres causes, comme le resserrement des normes de qualité en 1987 ou les exigences plus grandes des consommateurs en 1987, pourraient aussi être à l'origine du nombre plus élevé de retours au cours de cette année.

Les *recommandations* désignent les actions à accomplir à la suite d'une étude. Elles peuvent être graduées selon un ordre croissant ou décroissant d'importance. Comme dans le cas de toute énumération, la liste des recommandations peut être organisée en fonction de regroupements de divers types, tels que les suivants :

• court terme/moyen terme/long terme

• aspects financiers/aspects non financiers (administratifs, techniques, etc.)

• coûts peu élevés/coûts élevés

• interventions internes/interventions externes

On peut aussi combiner des regroupements de nature différente.

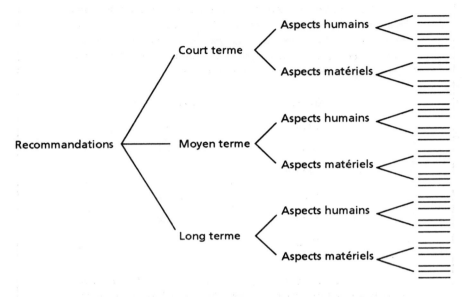

Figure 26 - **Regroupement des recommandations**

9. LES ANNEXES

Les annexes renferment des éléments d'information complémentaires ou secondaires : calculs, extraits d'ouvrages, etc. Ces éléments n'apparaissent pas dans le corps du texte, soit parce qu'ils ralentiraient la lecture du rapport, soit parce qu'ils nuiraient à sa compréhension, soit encore parce qu'ils n'intéressent qu'un petit nombre de lecteurs.

Les annexes sont numérotées, titrées et paginées. L'emploi d'onglets titrés rend la consultation des annexes beaucoup plus facile.

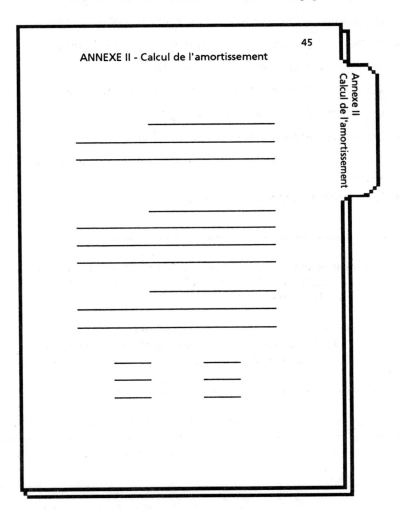

ANNEXE II - Calcul de l'amortissement

45

Annexe II
Calcul de l'amortissement

10. LA BIBLIOGRAPHIE

La bibliographie se place tout à la fin d'un rapport. Elle peut être de nature générale (liste des ouvrages portant sur un sujet donné) ou particulière (liste des ouvrages effectivement consultés par l'auteur).

La description bibliographique d'un livre comprend :

- le nom de l'auteur en majuscules, suivi d'une virgule;
- le prénom de l'auteur, suivi d'un point (ou d'une virgule);
- le titre du livre, souligné ou en italiques, suivi d'une virgule;
- le lieu de publication, suivi d'une virgule;
- s'il y a lieu, le numéro de l'édition, suivi d'une virgule;
- le nom de l'éditeur, suivi d'une virgule;
- l'année de publication, suivie d'une virgule;
- s'il y a lieu, le numéro du tome en chiffres romains, suivi d'une virgule;
- le nombre de pages, suivi d'un point.

Auteur unique   LAROSE, Robert. *Théories contemporaines de la traduction*, Québec, 2ᵉ éd., Presses de l'Université du Québec, 1989, 336 p.

Plusieurs auteurs   VITALE, Geoffrey, SPARER, Michel et Robert LAROSE. *Guide de la traduction appliquée*, Québec, Presses de l'Université du Québec/Vuibert, 1978, tome I, 397 p.

Lorsqu'un ouvrage compte plus de trois auteurs, il est parfois possible de n'écrire que le nom du premier au complet et de remplacer les autres noms par l'abréviation **et al.**, qui signifie « et les autres ».

BONNEROT, Louis, et al. *Chemins de la traduction*, Paris, Didier, 1963.

Voici quelques autres mentions utiles.

- **Sans date (qu'on indique en abrégé après le nom de l'éditeur)**

  ... Presses de l'Université du Québec, s.d., ...

- **Sans lieu (qu'on indique en abrégé après le titre du livre)**

  ... *Manuel du typographe.* s.l., ...

En ce qui concerne maintenant un article de revue ou de journal, sa description bibliographique comprend :

- le nom de l'auteur en majuscules, suivi d'une virgule;
- le prénom de l'auteur, suivi d'un point (ou d'une virgule);
- le titre de l'article mis entre guillemets, non souligné et suivi d'une virgule;
- le nom de la revue, souligné ou en italiques, et suivi d'une virgule;
- le lieu de publication, suivi d'une virgule;
- le numéro de la revue, suivi d'une virgule;
- la date de publication, suivie d'une virgule;
- les numéros respectifs de la première et de la dernière page de l'article, suivis d'un point.

LADMIRAL, Jean-René. « Éléments de traduction philosophique », *Langue française*, Paris, Larousse, vol. 51, septembre 1981, p. 19 à 34.

CHAPITRE
4

Principales autres formes de communication écrite

La personnalité, les compétences professionnelles et la facilité à communiquer, oralement et *par écrit*, constituent les principaux aspects sur lesquels on évalue un gestionnaire.

La maîtrise des règles relatives aux principales formes de communication écrite est devenue une qualité indispensable à quiconque souhaite gravir rapidement et avec assurance les « pentes du mont Olympe ». Facteur indéniable de promotion, la facilité à communiquer clairement, par écrit, démontre que les idées du candidat sont bien organisées. À une présentation asymétrique et incohérente, non respectueuse des conventions établies en matière de rédaction commerciale et administrative, correspondent souvent un manque de rigueur intellectuelle, une pensée désorganisée et parfois même un esprit « gélatineux ».

Nous examinerons ci-après les règles gouvernant la rédaction des principaux types de documents écrits (qui peuvent tous être couverts par une acception large du mot rapport), à l'exception du rapport exhaustif, traité dans le chapitre précédent, que le gestionnaire est susceptible de rédiger dans le cadre de ses activités professionnelles :

1. la lettre;

2. la note de service;

3. le compte rendu et le procès-verbal;

4. le communiqué;

5. la politique et la procédure;

6. la soumission et la proposition écrite.

Modèle classique

EN-TÊTE	**Université du Québec à Trois-Rivières** Case postale 500 Trois-Rivières (Québec) G9A 5H7 Téléphone : (819) 376-5011

DATE, LIEU **PERSONNEL**   Le 9 janvier 199•
ET MENTIONS
DE
CARACTÈRE

VEDETTE
Madame Zélie Barnoti
Ordre des comptables agréés du Québec
680, rue Sherbrooke ouest, bureau 140
Montréal (Québec)
H3A 2S3

RÉFÉRENCES   V/Lettre du   N/Référence :
             15 décembre 199•   OCA.12

OBJET   Objet : Stage d'été en traduction

APPEL   Madame,

CORPS DE   Je tiens à vous remercier d'avoir invité les étudiants de
LA LETTRE   deuxième année qui suivent notre programme de traduc-
             tion à se présenter à un examen vers la mi-mars en vue
             de la sélection d'un traducteur stagiaire pour l'été 199•.

SALUTATIONS   Je vous prie d'agréer, Madame, mes respectueux hom-
             mages.

SIGNATURE,   Le directeur du Département
INITIALES   des langues modernes,
D'IDENTIFI-   Alain Dor
CATION,   AD/rt   Alain Doré
COPIE   C.c. M. Damien Tremblay, directeur du Module des lan-
CONFORME   gues modernes
ET PIÈCES   P.j. Liste des étudiants qui se présenteront à l'examen
JOINTES   de sélection

1. LA LETTRE[1]

Note préliminaire : Les observations relatives à la place des divers éléments de la lettre renvoient au modèle classique préconisé par l'Office de la langue française.

1.1 En-tête

L'en-tête est la partie de la lettre qui comprend le nom de l'organisme ou de l'entreprise auquel appartient le signataire. Il contient généralement l'adresse complète, le numéro de téléphone et d'autres renseignements utiles au destinataire.

Prière de noter :

a) On ne met pas de virgule en fin de ligne. C'est sous l'influence de la correspondance juridique anglaise que certaines personnes l'emploient.

b) Les expressions « case postale » (en Suisse et au Canada) ou « boîte postale » (en France) sont tout à fait correctes. On doit éviter d'employer le mot « casier », qui désigne un ensemble de cases (à livres, à disques, à bouteilles, etc.).

c) Le nom de la province se place entre parenthèses, à droite du nom de la ville.

d) Le code postal est à indiquer à la dernière ligne de l'adresse.

---

1. Nous nous inspirons principalement des recommandations contenues dans *C'est-à-dire*, bulletin du Comité de linguistique de Radio-Canada, et dans *Le français au bureau* (3e édition, 1988), cahier de l'Office de la langue française.

1.2 Date et lieu

Ces mentions figurent dans l'angle supérieur droit de la lettre. À noter cependant que la mention du lieu est à omettre si elle apparaît déjà dans l'en-tête. On n'abrège ni la date ni le nom de la ville. En outre, on ne met pas de point après l'indication de l'année.

On peut écrire au choix :

a) Trois-Rivières, le mardi 21 décembre 199• (et non : mardi, le 21...)

b) Trois-Rivières, le 21 décembre 199•

c) Mardi 21 décembre 199•

d) Le 21 décembre 199•

« Ce 21 décembre 199• » est une forme archaïque.

1.3 Mentions de caractère

Le caractère de la lettre indiqué grâce à une mention spéciale mise en relief (majuscules ou soulignement, ou les deux) apparaît vis-à-vis de la mention du lieu et de la date, contre la marge de gauche.

RECOMMANDÉ (et non l'anglicisme « enregistré »), CONFIDENTIEL, SECRET, PERSONNEL, PAR EXPRÈS (mot invariable prononcé « express »), PAR AVION.

Il est préférable d'écrire ces mentions au masculin, car le mot sous-entendu est *pli* (ou courrier).

« Les mentions PERSONNEL et CONFIDENTIEL ne sont pas interchangeables et sont rarement employées simultanément. On inscrira sur une lettre la mention PERSONNEL pour signifier que le document doit être remis au destinataire en personne sans avoir été ouvert. Quant à la mention CONFIDENTIEL, on l'utilise pour informer les personnes qui s'occupent du courrier et le destinataire que la lettre ou le document doit demeurer secret.

Quant à la mention *sans préjudice*, utilisée pour préciser que la lettre ne doit pas être interprétée comme une reconnaissance pouvant porter préjudice à son signataire, elle devrait être remplacée par l'expression SOUS TOUTES RÉSERVES ou SOUS RÉSERVE DE TOUS

DROITS. » (*Le français au bureau*, 3ᵉ éd., Québec, Office de la langue française, 1988, p. 22.)

1.4 Vedette

On entend par vedette le nom et l'adresse complètes du destinataire. (En France, elle se place sous la date.)

> **Prière de noter :**

a) Les titres de civilité Monsieur, Madame, Docteur, Maître, etc. ne s'abrègent jamais dans la vedette, car on s'adresse directement à la personne. En revanche, si on ne s'adresse pas directement à la personne, par exemple, dans le corps d'une lettre, on abrège généralement les titres. Ainsi, Monsieur devient M. ou s'écrit parfois en toutes lettres, avec une minuscule initiale : monsieur. Par ailleurs, les prénoms ne s'abrègent pas. On ne doit pas écrire « Monsieur P. Lacerte » mais « Monsieur Pierre Lacerte ». Il faut également éviter les américanismes du type « Paul H. Grégoire ». Dans un contexte anglophone, John Smith signe « John Smith » lorsqu'il est simple employé, mais dès qu'il occupe un poste d'autorité son deuxième prénom (*middle name*) est « réactivé » et il devient soudainement « John F. Smith » !

b) La désignation de la fonction du destinataire se place sur la ligne qui suit le nom.

>   Monsieur Pierre Lacerte
>   Président
>   Club Radisson

ou

>   Monsieur Pierre Lacerte
>   Président du Club Radisson

et non pas

>   Monsieur Pierre Lacerte, président
>   Club Radisson

c) La désignation de la profession (Madame Anne Mongrain, *ing.*) ou les titres universitaires (Monsieur Guy Béliveau, *Ph.D.*) n'apparaissent pas dans la vedette, sauf s'il s'agit d'avocats, de notaires ou de médecins. Dans un tel cas, on écrit :

Maître Richard Lambert
Docteure[2] Christine Caron

NOTA : *Au Québec, les anglicismes « Honorable » et « Très honorable » sont à remplacer par « Monsieur ».*

---

d) La virgule doit séparer le numéro et le nom de la rue. Dans la correspondance de bonne tenue, les noms de rue ne s'abrègent pas.

715, rue Saint-François *plutôt que* rue St-François

Il ne faut pas oublier d'employer un trait d'union entre les mots qui composent :

• le nom d'une rue

215, rue Jacques-Cartier

• ou le nom d'une ville

Cap-de-la-Madeleine
Chicoutimi-Nord

e) La mention du point cardinal se met après le nom de la rue, avec une minuscule initiale[3]. Le point cardinal se rapporte plutôt au nom de la rue qu'au numéro. On sait, par exemple, que la rue Saint-François est orientée dans l'axe est-ouest. En revanche, on ignore si les numéros de porte se rendent jusqu'à 715 dans les deux cas. S'il y a lieu de préciser un numéro d'appartement, celui-ci doit suivre l'abréviation *app.* (ou app[t]) précédée d'une virgule :

715, rue Saint-François ouest, app. 115

---

2. En français, le titre *docteur* ne s'emploie que dans le domaine des sciences de la santé.
3. Les mots *nord, sud, est, ouest* prennent la minuscule lorsque, adjectifs ou substantifs, ils indiquent une position du compas. Cf. Règle n° 265, dans le *Guide du rédacteur de l'administration fédérale*, Ottawa, Approvisionnements et Services Canada, 1983, p. 85.

Dans la correspondance commerciale, les mots chambre, pièce et local sont à proscrire. On leur préfère le mot passe-partout « bureau ». Quant au mot « suite », on devrait en réserver l'application à une série de bureaux en enfilade (fiche du Comité de linguistique de Radio-Canada).

f) Pour les villes dotées de succursales postales (éviter l'anglicisme « station »), l'adresse se compose ainsi :

> Case postale 6128
> Succursale A
> Montréal (Québec)
> H3C 3J7

Il est à noter que le nom de la province ne s'abrège pas dans les adresses. Cependant, s'il fallait abréger le mot Québec, on devrait se garder d'écrire QC au lieu de Q^c, et ce, nonobstant la graphie préconisée par l'O.L.F. En effet, *deux* majuscules dans une abréviation de mot usuel au singulier ne peuvent renvoyer qu'à *deux* mots. Les normalisateurs de l'Office de la langue française auraient-il voulu préciser que le **Q**uébec fait toujours bel et bien partie du **C**anada ?

Dans le libellé de l'adresse, il faut respecter l'usage de la langue du pays de destination. Cependant, le nom du pays s'écrit dans la langue du pays d'expédition :

> Monsieur Robert Leblanc
> 3, rue Garibaldi
> 75014 Paris
> France

> Mr. John Darbelnet
> 9999 Dober Road
> Chicago, Illinois 60624
> États-Unis

> Smith & Daniels
> 83 Kensington Court
> London, NW8 3X2
> Angleterre

La mention du pays ne s'impose que pour les lettres destinées à l'étranger. Il faut souligner, dans ce cas, le nom du pays ou l'écrire en lettres majuscules.

g) Si la lettre porte la mention *À l'attention de,* on ajoute au-dessous de la vedette : *À l'attention de Monsieur Jean Orsoni* (et non pas *Attention M. Jean Orsoni,* calque de l'anglais).

L'appel est alors *Messieurs* ou *Mesdames* ou *Mesdames, Messieurs.*

> Société Saint-Jean-Baptiste
> 2075, boul. Laurier
> Sainte-Foy (Québec)
> G1V 2M3
>
> À l'attention de Madame Adèle Tremblay
>
> Mesdames,
> Messieurs,

Il est à noter que la mention *À l'attention de* est la plupart du temps inutile, et qu'il est préférable d'écrire :

> Madame Adèle Tremblay
> Société Saint-Jean-Baptiste
> 2075, boul. Laurier
> Sainte-Foy (Québec)
> G1V 2M3

La mention *aux (bons) soins de* (a/s de, a.b.s. de) est réservée à la correspondance non commerciale. Il faut éviter l'anglicisme *c/o* (care of).

> Monsieur Nathan Ménard
> a/s de Monsieur Maurice Gross

Cette mention signifie que la lettre est envoyée chez M. Gross pour transmission à M. Ménard.

Si le destinataire a changé de domicile et que l'on ignore sa nouvelle adresse, il est suggéré d'indiquer sur la partie gauche de l'enveloppe la mention *Prière de faire suivre.*

1.5 Références

Les références sont des mentions qui facilitent le classement et la consultation et évitent de longues phrases introductives. On peut distinguer trois types de références :

1. Votre référence : V/Référence, V/Réf. ou V/R.

2. Votre lettre du : V/Lettre du 8 décembre 199•.

3. Notre référence : N/Référence, N/Réf. ou N/R.

Les références se placent entre la vedette et l'objet de la lettre.

1.6 Objet

L'objet est l'indication du thème de la lettre. Cette mention, facultative mais très utile, se place au centre de la lettre, entre les références et l'appel. L'objet commence par une majuscule et se termine *sans* point.

On peut souligner ou non le texte de l'objet. Si on le fait, il faut en souligner *chaque ligne*, et non seulement la dernière.

Objet : Convocation à la 100e séance
du Module des langues modernes

Objet est à utiliser au lieu des anglicismes « Re » et « Sujet ».

1.7 Appel

L'appel est la formule par laquelle commence la lettre. Il est suivi d'une virgule et non d'un deux-points comme en anglais américain. Il se place contre la marge de gauche. L'appel varie selon la personne à qui on s'adresse.

a) *Monsieur* ou *Madame*, employés seuls, sont les formules généralement employées en correspondance commerciale et administrative. On utilise la tournure impersonnelle *Mesdames, Messieurs*, quand la lettre est envoyée à une entreprise, sans destinataire précis (Mesdames, Messieurs, sont généralement placés l'un en dessous de l'autre). Quant à la formule *À qui de droit*, elle ne sert qu'à annoncer certaines attestations.

b) L'usage de l'adjectif *cher* (Cher Monsieur, Chère Madame, etc.) est à limiter aux personnes que l'on connaît bien, au contraire de l'anglais *Dear Sir* qui est d'usage général. On n'écrira jamais *Mon cher Monsieur*, ni *Cher Monsieur Jourdain*, formules considérées comme inéduquées. De plus, contrairement à ce qui peut se faire en anglais, le nom de famille du destinataire n'apparaît jamais dans l'appel.

c) Si l'expéditeur écrit à une personne exerçant la même profession que lui (médecin, psychologue, avocat, ingénieur, traducteur, etc.), il peut employer les expressions *Cher confrère* ou *Chère consoeur*.

d) Si l'expéditeur écrit à une personne de même rang hiérarchique qui travaille pour le même employeur (par exemple, deux fonctionnaires du même ministère), il emploie *Cher* ou *Chère collègue*.

e) Si l'expéditeur écrit à une personne qui exerce la même profession et qui travaille pour le même employeur (par exemple, deux médecins dans le même hôpital), c'est *Cher ou Chère collègue* qui l'emporte.

f) Si on désire ajouter une nuance d'affection ou d'intimité envers le destinataire, on pourra écrire selon le cas :

Cher Monsieur et ami, Chère Madame et amie,

Cher confrère et ami, Chère consoeur et amie, Cher collègue et ami, Chère collègue et amie...

g) Si le destinataire possède un titre ou exerce une fonction officielle, on ajoute son titre ou sa fonction dans l'appel. Dans un tel cas, les titres et fonctions prennent une majuscule initiale et ne doivent jamais être abrégés.[4] Il est à noter que la majuscule est justifiée parce qu'on s'adresse directement à la personne.

Monsieur le Président,

Monsieur le Directeur,

Madame la Ministre,

---

4. Dans le cas d'une femme, l'OLF recommande, relativement au genre des appellations d'emploi, l'utilisation de formes féminines dans tous les cas possibles.

1.8 Corps de la lettre

Comme tout autre texte, une lettre est censée comprendre une introduction, un développement et une conclusion.

Voici quelques formules usuelles d'introduction et de conclusion :

Formules d'introduction	**Formules de conclusion**
En réponse à votre lettre du..., nous aimerions...	Souhaitant qu'il vous soit possible de donner suite à notre demande, nous vous prions...
Nous désirons vous informer que...	Espérant que ces précisions vous donneront satisfaction (et non *sauront vous satisfaire*), nous...
Nous sommes heureux d'apprendre que...	
Nous avons pris connaissance de...	Avec nos remerciements (anticipés), nous vous prions d'accepter...
Nous accusons réception de votre rapport..., et c'est avec plaisir que (éviter la formule *Il me fait plaisir de...*)	Dans l'attente d'une décision de votre part, nous vous présentons...
	Vous remerciant à l'avance, nous...

NOTA : *Il faut éviter les erreurs suivantes, parfois relevées dans une formule : Les présentes sont pour... (archaïsme à remplacer par « La présente (lettre) a pour but de... ») et Nous vous serions gré... (il s'agit du verbe « savoir » et non du verbe « être »; il faut écrire : « Nous vous saurions gré... »).*

Dans les lettres, notes de service, procès-verbaux, etc., il est suggéré d'écrire les noms de famille en lettres capitales, bien que l'usage québécois assez général soit d'utiliser des lettres minuscules, sous l'influence de l'usage anglais.

Monsieur Jean DUPONT

À l'attention de Monsieur Pierre LAMOTHE

J'ai fait part de votre demande à madame TELLIER.

1.9 Salutations

Les salutations sont la formule qui termine la lettre. Dans la correspondance de bonne tenue, il faut éviter les expressions trop courtes telles que *Cordialement* ou *Votre tout dévoué* et surtout les calques de l'anglais *Sincèrement vôtre* et *Cordialement vôtre*.

La formule d'appel doit être reprise dans les salutations. Ainsi, dans une lettre où la formule d'appel est *Monsieur le Directeur*, elle sera reprise intégralement dans la formule de salutations : Veuillez agréer, *Monsieur le Directeur*, l'expression de ma considération distinguée. (À noter le *m* majuscule à *Monsieur*.)

On gradue généralement les formules de salutations de la façon suivante :

*   Agréez/recevez/croyez/acceptez/etc., (appel),...

**   Veuillez agréer/recevoir/croire/etc., (appel),...

***   Nous vous prions d'agréer/de recevoir/de croire/etc., (appel),...

Voici quelques formules de salutations usuelles :

À un subalterne ou à une personne de même rang	Agréez/Veuillez agréer, (appel), l'assurance de mes meilleurs sentiments/de mes sentiments distingués/de ma considération distinguée/de ma cordiale sympathie.
À un supérieur	Nous vous prions d'agréer, (appel), l'assurance de notre considération (très/la plus) distinguée/de notre (très) haute considération/de notre profond respect.
D'un homme à une femme (parfois)	Veuillez agréer, (appel), mes respectueux hommages.

Remarques :

1) À moins qu'il ne s'agisse d'une haute personnalité, et au risque qu'elle semble vieux jeu, une femme n'exprime pas ses respects à un homme.

2) Le terme *salutations* ne peut être précédé des locutions *l'expression de* ou *l'assurance de*; il suit directement le verbe (accepter, agréer, recevoir, etc.).

3) Le verbe *croire à* ne peut être suivi de *l'expression de* ou de *l'assurance de*, ni du mot *salutations*; on le fait suivre directement de la mention *le respect, les sentiments, le souvenir,* etc. Il est à noter aussi qu'on doit dire *croire à* et non *croire en*.

1.10 Signature

La signature se place dans la partie inférieure droite, quelques interlignes sous la formule de salutations qui termine la lettre. Dans la correspondance commerciale et administrative, le nom est dactylographié au-dessous de la signature manuscrite. De plus, si le signataire possède un titre, il s'indique au-dessus de la signature. Il est alors précédé de l'article défini et suivi d'une virgule :

Le directeur du personnel,

Roméo Marchand

Roméo Marchand

On peut également faire suivre la signature de la mention de la profession ou de l'appartenance à un groupe professionnel :

Daniel Lefebvre

Daniel Lefebvre, c.a.

Si le poste est assumé par plusieurs titulaires, la fonction ou la profession de l'expéditeur est toujours mentionnée après sa signature :

Pierre Plante	*Diane Pontbriand*
Pierre Plante, technicien en informatique	Diane Pontbriand, avocate
Alexis Tremblay	
Alexis Tremblay, ingénieur Service de la programmation	

Lorsque c'est un intermédiaire qui signe la lettre, il faut faire précéder sa signature de la préposition *pour* et du titre de la personne qu'il remplace. Si, par exemple, M. Sylvain Bédard remplace M. Georges Rochon, directeur des achats, il signera les lettres de la façon suivante :

> (titre)   Pour le directeur des achats,
>
> (signature) *Sylvain Bédard*
>
> (nom)   Sylvain Bédard

De même : Pour la directrice de la publicité, Jacinthe Lavoie

> *Doris Jeckle*
>
> Doris Jeckle,
> secrétaire administrative

On peut aussi employer la mention p.p. (par procuration) :

> Le directeur des achats, Georges Rochon
>
> p.p. La directrice de la publicité,
>
> *Gisèle Lauzier*
>
> Gisèle Lauzier

Cette mention s'emploie lorsque la personne qui signe la lettre agit officiellement au nom de l'autorité qui adresse la communication.

NOTA : **La mention « Par » devant la signature serait un calque de l'anglais.**

Lorsqu'une lettre comporte plus d'une signature, il est conseillé de les présenter l'une à côté de l'autre en plaçant à droite la signature de la personne dont le rang est le plus élevé :

Robert Myron	Le directeur de la recherche,
Robert Myron, biologiste	*Pierre-Paul Picotte*
	Pierre-Paul Picotte

1.11 Initiales d'identification

Si la lettre a été rédigée par deux personnes ou par une personne autre que le signataire, on écrit successivement les initiales de ces derniers en majuscules, puis celles de la secrétaire en lettres minuscules :

RL et JO/rt ou RL-JO/rt ou RL/JO/rt

1.12 Copie conforme

Cette mention s'écrit au long ou s'abrège en C.c., C.C. ou c.c.. Elle est suivie du nom et, le cas échéant, du titre du destinataire.

Si l'on veut passer sous silence la transmission de la copie, on écrit *sur le double* (et non sur l'original) la mention *transmission confidentielle* en toutes lettres, suivie du nom du destinataire :

Transmission confidentielle à M. Yvon Lechasseur

1.13 Pièces jointes

La mention des pièces jointes se place sous les initiales d'identification. Elle s'abrège en P.j., P.J. ou p.j.

Pièce jointe : Curriculum vitae

P.j. Curriculum vitae

Il ne faut pas écrire cette mention sans préciser le nombre de pièces jointes ou leur nature.

Pièces jointes (2)

P.j. Curriculum vitae et relevé de notes

1.14 Post-scriptum

Le post-scriptum (abréviation P.-S. suivie d'un tiret et non seulement P.S.) vise d'habitude à attirer l'attention du lecteur sur un sujet important.

P.-S. – N'oubliez pas d'apporter les échantillons.

1.15 Deuxième page et suivantes

Il est possible, mais non obligatoire, de rappeler le nom du destinataire contre la marge de gauche, le numéro de page au centre et l'expression alphanumérique de la date contre la marge de droite :

> Monsieur Gilles Lajoie   – 2 –   Le 25 mai 199•

Le numéro de page est à faire figurer soit en haut de la page (au centre ou dans le coin droit), soit en bas de la page, au centre.

1.16 Page de transmission d'une télécopie

Quand une lettre est transmise par télécopieur, la page de transmission qui l'accompagne doit comporter les informations suivantes :

- la date;
- le nom du destinataire;
- le numéro de télécopieur du destinataire;
- le nombre de pages;
- le nom et l'adresse de l'expéditeur; ⎫
- les numéros de téléphone et de télécopieur; ⎬ souvent préimprimés
- les remarques, s'il y a lieu. ⎭

 TRANSMISSION PAR TÉLÉCOPIEUR

Date :
Destinataire :
N° de télécopieur :
Nombre de pages (y compris celle-ci) :

Expéditeur :
Adresse :

N° de téléphone :
N° de télécopieur :

REMARQUES

Toutefois, on peut remplacer la page de transmission par un notocollant que l'on place dans le coin droit supérieur de la lettre.

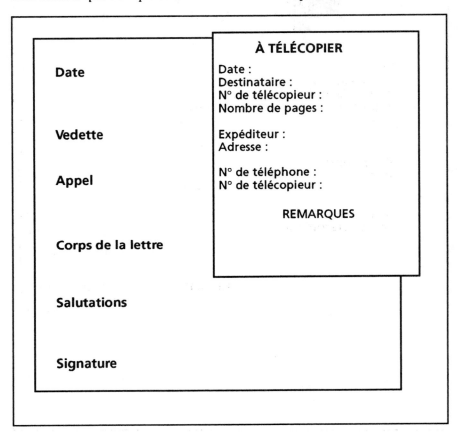

2. LA NOTE DE SERVICE

La note de service est le principal document de communication interne. Elle est à distinguer de la note (sans qualification), document adressé à une personne donnée (de rang égal ou supérieur). La note de service est un document administratif plutôt court, qui peut viser à transmettre des instructions ou des renseignements.

Elle sert souvent de support matériel à une directive[5] dans laquelle une politique ou une procédure (voir la section 5 ci-dessous)
sont définies. C'est souvent par une note de service qu'on répond à une
demande de renseignements émise par un ou plusieurs services ou
qu'on fait connaître le résumé d'un rapport.

La note de service permet d'éviter des pertes de temps occasion-
nées par d'interminables appels téléphoniques ou des rencontres indivi-
duelles.

Avant de rédiger une note de service, il faut se poser les questions
suivantes :

1. *La nature du problème est-elle à ce point complexe ou technique
   qu'elle nécessite une mise en forme écrite ?*

2. *Les rapports que j'entretiens avec le destinataire m'autorisent-ils à
   communiquer avec lui autrement que par écrit ?*

3. *Le destinataire conservera-t-il la note de service pour usage ulté-
   rieur ?*

4. *Puis-je atteindre mon objectif plus commodément par un autre
   moyen ?*

L'en-tête d'une note de service comprend les éléments suivants :

- le nom et l'adresse de l'organisme ou de l'entreprise;

- le nom et le titre du destinataire;

- le nom et le titre de l'expéditeur;

- la date;

- l'objet.

---

5. La directive traduit un lien de subordination (le patron qui parle à ses
   employés) et représente un outil de gestion nécessaire à l'application des
   règlements et de la procédure de l'organisme ou de l'entreprise. Elle émane
   d'une instance décisionnelle (ex. : une vice-présidence) et n'est pas entéri-
   née par le conseil d'administration, ce qui signifie qu'elle n'a pas fait l'objet
   d'une résolution. Si la directive est contredite par un règlement, c'est le
   règlement qui a force probante.

Les renseignements ou instructions sont habituellement présentés en allant du général au particulier.

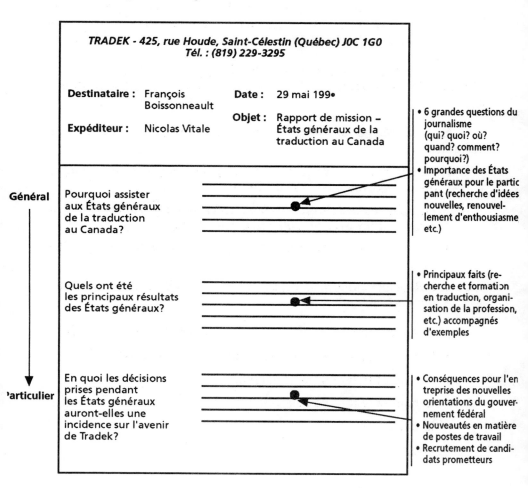

TRADEK - 425, rue Houde, Saint-Célestin (Québec) J0C 1G0
Tél. : (819) 229-3295

Destinataire : François Boissonneault

Date : 29 mai 199•

Objet : Rapport de mission – États généraux de la traduction au Canada

Expéditeur : Nicolas Vitale

• 6 grandes questions du journalisme (qui? quoi? où? quand? comment? pourquoi?)
• Importance des États généraux pour le particpant (recherche d'idées nouvelles, renouvellement d'enthousiasme etc.)

Général

Pourquoi assister aux États généraux de la traduction au Canada?

Quels ont été les principaux résultats des États généraux?

• Principaux faits (recherche et formation en traduction, organisation de la profession, etc.) accompagnés d'exemples

'articulier

En quoi les décisions prises pendant les États généraux auront-elles une incidence sur l'avenir de Tradek?

• Conséquences pour l'entreprise des nouvelles orientations du gouvernement fédéral
• Nouveautés en matière de postes de travail
• Recrutement de candidats prometteurs

Remarques :

1) L'emploi du terme *mémo* au sens de note ou note de service est impropre. Ce terme, abréviation familière de *mémorandum*, désigne plutôt une note que l'on prend pour soi-même d'une chose qu'on ne veut pas oublier.

2) *To* et *from* se traduisent en français par Destinataire et Expéditeur, et non pas par les anglicismes À et De. De plus, *Subject* se

rend par Objet et non par les anglicismes *Sujet* ou *Re*. Par ailleurs, la date ne doit jamais s'abréger.

3) Dans le corps du texte, on supprime les formules d'appel et de salutations. Le style d'une note de service est presque toujours impersonnel et il peut être télégraphique.

4) Il n'est pas nécessaire de signer une note de service. On se contente d'habitude de taper le nom de l'expéditeur ou ses initiales sous le message. On peut aussi inscrire ses initiales à la main.

En raison du volume élevé des stocks (pourquoi ?), veuillez prendre note que le personnel de l'usine (qui ?) de Bécancour (où ?) pourra bénéficier d'une réduction de 35 % sur tous les produits SAX (quoi ?) à partir du 26 mars 199• (quand ?). Il suffit de remplir la formule RX7 et la remettre à Mme Francine Therrien (comment ?).

R.L.

Voici un autre modèle qui n'exige aucune mise en forme épistolaire :

La Société XPD
Service technique   Le   . – – – – – – – – – – – – –

   Le directeur

○   informe
                              M.   . – – – – – – – – – – – – –

○   demande à   Mme
                                     . – – – – – – – – – – – – –

○   rappelle à

3. LE COMPTE RENDU ET LE PROCÈS-VERBAL

Le compte rendu est l'exposé de ce que l'on a fait, entendu ou observé.
Il vise à faire connaître, expliquer ou justifier des actions. Le sens du
terme *compte rendu* est plus étendu que celui du *procès-verbal*. En effet,
le procès-verbal relate par écrit, en détail et selon des normes strictes ce
qui a été dit ou fait pendant une réunion ou une assemblée. Qu'il
s'agisse d'un compte rendu ou d'un procès-verbal, un ton impersonnel
est de rigueur.

Contenu du compte rendu

- Nom du groupe, du comité, de l'assemblée, etc.
- Titre de l'événement.
- Date, heure, lieu.
- Liste alphabétique des personnes présentes.
- Nom du président et du secrétaire.
- Résumé chronologique des faits.
- Heure de clôture de la réunion.
- Signature du président et du secrétaire.

Comité de souscription

COMPTE RENDU de la septième réunion du Comité de souscription, tenue le 21 décembre 199•, à 14 h au 1898, rue Jean-
Nicolet, à Trois-Rivières.

SONT PRÉSENTS : MM. R. Dober, F. Hallé, B. Irving, P. Lacerte,
C. Laliberté, R. Lambert, R. Laneuville, C. O'Brien et A. Pagé.

M. DOBER préside la séance et M. LACERTE en est le secrétaire.

Après la lecture du compte rendu de la sixième réunion, les
membres du Comité procèdent à l'étude des points à l'ordre du
jour.

M. LANEUVILLE soulève le manque d'entrain de certains membres du Comité de souscription et les invite à réfléchir sur les conséquences de leur inertie. À la suite d'une mise au point sur le rôle des membres, M. LAMBERT propose la création d'une revue entièrement financée au moyen d'annonces publicitaires dont les revenus serviraient en totalité à l'achat d'une piscine de dimensions olympiques.

Les membres appuient unanimement cette proposition et désignent MM. LAMBERT et O'BRIEN comme responsables du projet. Ces derniers auront à rendre compte des progrès de leurs efforts lors de la réunion du 21 février prochain.

La séance est levée à 15 h 30.

Le secrétaire,   Le président,

P. Lacerte   R. Dober

Le procès-verbal

Le procès-verbal est un document officiel relatant ce qui a été dit ou fait pendant une assemblée. L'ordre de présentation des sujets qui feront l'objet de discussions est précisé dans l'ordre du jour, qui apparaît d'habitude dans l'avis de convocation acheminé aux membres conformément aux délais prescrits par l'assemblée.

Université du Québec à Trois-Rivières
Département des langues modernes
C.P. 500
Trois-Rivières (Québec)
G9A 5H7
Téléphone : (819) 376-5109
Télécopieur : (819) 376-5012

Le 12 mars 199•

À tous les professeurs du
Département des langues modernes

Chères collègues,
Chers collègues,

J'ai le plaisir de vous convoquer à la 107ᵉ réunion ordinaire du Département des langues modernes, qui aura lieu le mardi 26 mars, à 9 h, à la salle 1237 du pavillon Albert-Tessier.

Je vous propose l'ordre du jour suivant et vous invite à le compléter si vous le jugez à propos :

1.   Lecture et adoption de l'ordre du jour;

2.   Lecture et adoption du procès-verbal de la 106ᵉ réunion;

3.   Affaires découlant du dernier procès-verbal;

4.   Lecture de la correspondance;

5.   Projets à l'étude;

6.   Questions diverses.

Je vous prie d'agréer, Chères collègues, Chers collègues, l'expression de mes sentiments distingués.

Le directeur du Département
des langues modernes,

Robert Nouss

Robert Nouss

On trouvera ci-dessous la description d'un procès-verbal synthétique. Contrairement au procès-verbal analytique ou sténographique, qui reproduit mot pour mot les interventions successives (ex. : dans le *Journal des débats*), le procès-verbal synthétique résume de façon logique et impartiale ce qui a été dit au cours d'une séance.

Contenu du procès-verbal

* Nom du corps constitué.
* Titre de l'événement.
* Date, heure et lieu de la réunion.
* Liste alphabétique des personnes présentes, absentes et invitées.
* Nom du président et du secrétaire.
* Adoption de l'ordre du jour.
* Adoption du procès-verbal de la réunion précédente.
* Affaires découlant du procès-verbal de la réunion précédente.
* Différents points à l'ordre du jour (voir le schéma de déroulement ci-dessous).
* Heure de clôture ou d'ajournement de la réunion.
* Signature du président et du secrétaire.

Comité des directeurs de service

PROCÈS-VERBAL de la 23ᵉ réunion du Comité des directeurs de service tenue le 25 mai 199•, à 14 h, au 3860, rue Louis-Pinard, bureau 102, à Trois-Rivières.

SONT PRÉSENTS : Mmes M. Caron

                                      D. Lachance

                                      L. Motard

                 MM.   M. Abran

                                      D. Gaudrault

                                      P. Lalande

SONT ABSENTS : Mmes S. Bergeret

         S. Cormeraie

         P. Sebag

EST INVITÉE : Mme G. Cossette

Mme MOTARD préside la séance et M. ABRAN en est le secrétaire.

ORDRE DU JOUR

Sur proposition de M. GAUDRAULT, appuyée par Mme CARON, l'ordre du jour est adopté à l'unanimité.

L'ordre du jour se lit comme suit :

_____

_____

_____

ADOPTION DU PROCÈS-VERBAL DE LA 22ᵉ RÉUNION

_____

AFFAIRES DÉCOULANT DU PROCÈS-VERBAL DE LA 22ᵉ RÉUNION

_____

POINTS À L'ORDRE DU JOUR

Information		Analyse		Recommandation	
Point à l'ordre du jour	État de la question	Discussion	Proposition	Résolution	Suivi

FIGURE 1 — **Schéma de déroulement⁶**

Sur proposition de M. LALANDE, appuyée par Mᵐᵉ CARON et approuvée à l'unanimité, la séance est levée à 16 h.

Le secrétaire,   La présidente,

(signature)   (signature)

4. LE COMMUNIQUÉ

Un communiqué est un message court portant sur des personnes, des produits, des services ou des événements, qu'une entreprise transmet au public. Il doit être rédigé dans un style simple et concis, susceptible d'être compris par le plus grand nombre possible de personnes.

Contenu du communiqué

- Provenance du communiqué (que donne l'en-tête).

- Avis de publication (la mention « Pour publication immédiate » est employée surtout pour les communiqués de nature publique, mais pas uniquement).

---

6. Ce schéma peut servir de grille de prise de notes pour le rédacteur du procès-verbal ou du compte rendu.

- Date de rédaction (il est parfois opportun d'ajouter deux jours à la date réelle de l'envoi pour que le communiqué paraisse plus récent).

- Titre.

- Corps du texte (voir les remarques ci-dessous).

- Mention – 30 –, qui indique la fin du communiqué (les deux dièses « ## » appartiennent au protocole anglais).

- Source.

NIQUÉ-COMMUNIQUÉ-COMMUNIQUÉ-COMMUNQUÉ-COMMU-

 Université du Québec à Trois-Rivières

C.P. 500, Trois-Rivières (Québec), Canada, G9A 5H7
Téléphone : (819) 376-5151

POUR PUBLICATION IMMÉDIATE

Le 22 novembre 199•

Journée d'étude sur les solutions internes aux problèmes de relations du travail dans l'entreprise

Le vendredi 24 novembre 199• se tiendra à l'Université du Québec à Trois-Rivières une journée d'étude sur les solutions internes aux problèmes de relations du travail qui se posent en entreprise.

Cette activité réunira principalement les représentants de petites et de moyennes entreprises de la région 04 qui feront part de leur expérience dans les PME, ainsi que dans de grandes entreprises, publiques et privées de la même région.

Vous êtes cordialement invité à cette journée d'étude qui se déroulera de 8 h 30 à 17 h, à la salle Ludger-Duvernay du pavillon Ringuet.

Pour obtenir de plus amples informations, veuillez communiquer avec M. Jean-Pierre Brisoux du Département d'administration et d'économique de l'Université du Québec à Trois-Rivières
au numéro suivant : (819) 376-5084.

– 30 –

NIQUÉ-COMMUNIQUÉ-COMMUNIQUÉ-COMMUNQUÉ-COMMU-

Source : Mme Denise Lemaire, Service de l'information

Les informations contenues dans le communiqué sont disposées
en allant de l'essentiel à l'accessoire. Le début du texte répond d'abord
aux six grandes questions du journalisme (c'est-à-dire qui ? quoi ? où ?
quand ? comment ? et pourquoi ?); les autres données peuvent concer-
ner, par exemple, les avantages d'une décision, d'un produit ou d'un
service, les prix, la gamme de produits, la formation et l'expérience d'un
cadre ou encore l'historique d'un événement.

5. LA POLITIQUE ET LA PROCÉDURE

La politique désigne une prise de position globale d'un organisme relativement à un sujet donné. Souvent axée sur un principe de comporte-
ment, elle vise à permettre au personnel d'agir dans les limites de ses
attributions et en étant bien informé des principes que l'organisme s'est
donnés. Les rédacteurs doivent la libeller avec une certaine flexibilité
pour qu'elle soit applicable dans les situations d'urgence. Voici quelques
exemples de politiques :

- Politique sur le harcèlement sexuel.
- Politique sur la reconnaissance des groupements étudiants.
- Politique sur le syndrome d'immunodéficience acquise (SIDA).
- Politique sur la connaissance suffisante du français.
- Politique sur la sécurité du travail.

Comme l'indique l'exemple ci-dessous, on procède en allant du général au particulier dans la rédaction d'une politique.

	Article 1 : Définitions
Général	Article 2 : Renseignements généraux
	Article 3 : Obligations de l'Université
	Article 4 : Inspection
Particulier	Article 5 : Avis d'infraction
	Article 6 : Dispositions diverses

POLITIQUE RELATIVE À L'APPLICATION DE LA LOI SUR LA PROTECTION DES NON-FUMEURS DANS CERTAINS LIEUX PUBLICS

Article 1 : *Définition*

1.1 **Loi** : Loi sur la protection des non-fumeurs dans certains lieux publics (L.R.Q., Chapitre P38-01).

1.2 **L'Université** : l'Université du Québec à Trois-Rivières.

1.3 **Immeubles** : terrains et bâtiments occupés par l'Université du Québec à Trois-Rivières.

1.4 **Quiconque** : toute personne physique.

1.5 **Endroits désignés** : tout endroit où il est interdit de fumer soit en vertu de la Loi, soit en vertu des pouvoirs conférés à la personne ayant la plus haute autorité au sein de l'Université ou à son délégué, conformément à l'article 23 de la Loi.

1.6 **Fumer** : le fait d'avoir en sa possession du tabac allumé.

Article 2 : *Renseignements généraux*

2.1 **Objet de la Loi**
La Loi régit l'usage du tabac dans certains lieux publics afin de mieux protéger la santé et le bien-être des non-fumeurs.

2.2 **Objet de la présente politique**
La présente politique vise à favoriser le changement d'attitude et à faire en sorte que les droits des non-fumeurs soient respectés.

2.3 **Organismes assujettis à la Loi**
Les organismes gouvernementaux, les organismes municipaux, les organismes scolaires (y compris les constituantes de l'Université du Québec) et les établissements de santé et de services sociaux occupant des locaux à titre de propriétaire ou de locataire.

2.4 **Responsabilités locales**
Le directeur des Services auxiliaires est responsable de l'application de la Loi et de la présente politique à l'Université.

2.5 **Responsables d'unités**
Les responsables des unités administratives et les directeurs de département informent et sensibilisent leur entourage quant à l'application de la Loi et de la politique dans leur secteur d'activité.

2.6 **Cas litigieux**
Tous les cas litigieux doivent être soumis au directeur des Services auxiliaires.

Article 3 : *Obligations de l'Université*

3.1 En tant qu'organisme scolaire, l'Université doit prendre les mesures nécessaires pour que la Loi soit respectée.

3.2 Pour tout immeuble dans un lieu occupé par l'Université et dont elle est propriétaire ou locataire, la Loi interdit de fumer dans :

 – une salle ou un comptoir destiné à des prestations de services;

 – une bibliothèque, un laboratoire, une salle de réunion, de cours ou de conférence;

 – un ascenseur.

3.3 Selon la Loi, il est interdit de fumer dans :

 – un lieu utilisé pour des services de garderie,

 – un lieu fermé utilisé pour des activités religieuses, sportives, judiciaires, culturelles ou artistiques, lorsque de telles activités s'y déroulent, même si ces activités sont réservées aux membres d'un groupe déterminé de personnes.

3.4 D'après la Loi, il est également interdit de fumer dans toute aire désignée par la personne ayant la plus haute autorité au sein de l'Université ou par son délégué. Ainsi, pourront devenir des endroits désignés :

 – un local partagé par deux personnes ou plus lorsque l'une d'elles le demande;

 – à la suite de la demande d'un utilisateur, tout autre lieu qu'il est justifié de considérer « désigné » en raison de son exiguïté ou de facteurs comme l'aménagement, la ventilation, etc.

3.5 La Loi permet également qu'un bureau privé puisse devenir un endroit désigné si l'occupant en fait la demande.

3.6 Les locaux visés aux articles 3.2, 3.3 et 3.4 de la présente politique sont énumérés à l'annexe I (disponible sur demande au Service de l'équipement ou au Secrétariat général).

3.7 L'Université indique les endroits désignés au moyen d'affiches bien en vue.

Article 4 : *Inspection*

4.1 En vertu de la Loi, les agents de la paix ou les personnes autorisées par la personne ayant la plus haute autorité au sein de l'organisme ou par son délégué agissent en qualité d'inspecteurs aux fins de l'application de la Loi.

4.2 Les personnes autorisées à agir en qualité d'inspecteurs à l'Université sont les agents de sécurité et les membres du personnel de l'Université titulaires d'un certificat d'inspecteur, conformément à la Loi. Le formulaire de certification apparaît à l'annexe II de la présente politique (disponible sur demande au Service de l'équipement ou au Secrétariat général).

Article 5 : *Avis d'infraction*

À l'occasion d'une première infraction, le contrevenant se verra remettre un avertissement.

Après d'autres infractions, les inspecteurs émettront l'avis d'infraction prévu par la Loi.

Article 6 : *Dispositions diverses*

6.1 Il est formellement interdit à quiconque de fumer aux endroits désignés dans les immeubles de l'Université.

6.2 Le directeur des Services auxiliaires, chargé de l'application de la Loi et de la présente politique, doit notamment :

– afficher aux endroits désignés des avis, panneaux indicateurs ou pictogrammes interdisant de fumer;

– enlever les cendriers des endroits désignés;

– sous réserve des articles 8, 15 et 16 de la Loi, déterminer les endroits où il est permis de fumer;

– installer des cendriers à ces derniers endroits;

– en collaboration avec les différents services de l'Université, sensibiliser la communauté universitaire au moyen d'une campagne contre l'usage du tabac;

– en collaboration avec les divers services de l'Université, voir à la diffusion de la présente politique auprès de la communauté universitaire;

– voir à la création d'un comité ad hoc dont la composition et le mandat sont définis à l'article 6.3 de la présente politique.

6.3 Le comité ad hoc

• Composition
Le comité ad hoc, sous la responsabilité du directeur des Services auxiliaires, sera constitué des personnes suivantes :

– le directeur des Services auxiliaires;

– le directeur du Service du personnel (ou son représentant);

– la personne responsable du Service de santé;

– une personne nommée par l'Association des cadres;

– une personne nommée par le Syndicat des professeurs;

– une personne nommée par le Syndicat des employés professionnels;

– une personne nommée par le Syndicat canadien de la fonction publique, section locale 2661;

– une personne nommée par le Syndicat canadien de la fonction publique, section locale 1800;

– une personne nommée par l'Association des employés non syndiqués;

– une personne nommée par l'Association générale des étudiants de l'Université du Québec à Trois-Rivières.

• Mandat
Le comité ad hoc a pour mandat :

– de voir à l'application de la présente politique et à sa mise à jour en fonction de la Loi et des règlements en vigueur;

– de sensibiliser la communauté universitaire sur les dangers de fumer;

– d'élaborer des recommandations sur les problèmes reliés à l'application de la Loi et de proposer des solutions, le cas échéant;

– d'évaluer les résultats et de produire un rapport annuel à l'intention du recteur;

– de consulter et d'appuyer le directeur des Services auxiliaires.

• Durée du mandat
La durée du mandat des personnes désignées par les associations et syndicats d'employés et par l'Association des étudiants est de 2 ans. Ce mandat est renouvelable une seule fois.

Par ailleurs, la **procédure** énonce les formalités administratives à respecter pour parvenir à un certain résultat. Il s'agit d'un document dans lequel on instruit le lecteur des étapes (règles d'organisation, procédés) à suivre pour accomplir une tâche. La politique et la procédure sont à la gestion ce que la loi et le règlement sont à la législation. Il est à noter que la procédure est parfois intégrée ou annexée au règlement.

NOMINATION DU VICE-RECTEUR
À L'ADMINISTRATION ET AUX FINANCES

1. **Affichage**

   Lorsqu'une vacance se produit au poste de vice-recteur à l'administration et aux finances, à la demande du recteur, le conseil d'administration crée un comité de sélection, qui avise le recteur, et demande au secrétaire général de procéder à l'affichage du poste.

   L'affichage dure dix jours ouvrables, période au cours de laquelle le Secrétariat général reçoit les mises en candidature accompagnées d'un curriculum vitae.

2. **Comité de sélection**

   Le comité de sélection est formé des personnes suivantes :

   a) le recteur, qui préside le comité;

   b) un professeur siégeant au conseil d'administration et désigné par ce conseil;

   c) un membre du conseil d'administration occupant une fonction de direction d'enseignement ou de recherche et désigné par ce conseil;

   d) un membre du milieu socio-économique siégeant au conseil d'administration et désigné par ce conseil;

   e) un étudiant siégeant au conseil d'administration et désigné par ce conseil;

   f) un vice-recteur siégeant au conseil d'administration et désigné par ce conseil.

   Le secrétaire général est le secrétaire du comité de sélection.

3. **Exigences**

   Les exigences établies pour occuper une telle fonction sont soumises à l'approbation du conseil d'administration avant l'affichage du poste, conformément aux règlements de l'Université.

4. **Consultation et étude des candidatures**

   Le comité de sélection est responsable du choix des

candidats et procède de la manière suivante :

a) il consulte par courrier les personnes et organismes mentionnés à l'annexe X afin d'obtenir :

- leur point de vue sur les critères retenus en vue de la sélection du vice-recteur à l'administration et aux finances;
- des mises en candidatures (lettre de candidature et curriculum vitae à l'appui);

b) parallèlement, l'offre d'emploi est publiée dans les grands quotidiens du Québec;

c) il analyse les dossiers à la lumière de la description des tâches et des critères de sélection.

5. **Nomination**

Le candidat retenu est proposé au recteur, qui le propose à son tour au conseil d'administration.

6. **Mandat**

Tout mandat est de cinq ans.

7. **Renouvellement**

La procédure de renouvellement de mandat d'un cadre supérieur s'applique.

6. LA SOUMISSION ET LA PROPOSITION ÉCRITE

Soumission et *proposition écrite* sont les deux termes les plus couramment employés dans le domaine des offres de service.

La *soumission* est un document écrit par lequel un entrepreneur désirant obtenir un marché par adjudication fait connaître ses conditions et s'engage à respecter les clauses du cahier des charges. La soumission est donc un document *sollicité* par le donneur d'ouvrage.

En revanche, la *proposition écrite* est essentiellement une offre de service *non sollicitée*, c'est-à-dire dont l'auteur n'est pas guidé dans sa démarche par les directives d'un cahier des charges.

La soumission

L'élément clé en matière de rédaction de soumissions et de propositions écrites est la *persuasion*. L'auteur doit convaincre le lecteur que la permanence du problème est plus coûteuse que la solution qu'on peut appliquer. Il doit clairement démontrer qu'il comprend le problème (les besoins du lecteur), que la solution est réalisable sur le plan technique et rentable financièrement et, enfin, qu'il possède l'expérience voulue pour mener le projet à bien.

Si le donneur d'ouvrage a déjà fourni une marche à suivre, le rédacteur n'a qu'à la respecter à la lettre. À défaut de marche à suivre, il doit garder à l'esprit que les principes en matière de rédaction de soumissions varient selon le donneur d'ouvrage. Sans vouloir polariser à outrance l'attitude respective des décideurs de l'Administration d'un côté et de ceux de l'entreprise privée de l'autre, nous nous autorisons néanmoins à avancer certaines généralisations, car il est communément admis qu'une soumission n'est pas évaluée en fonction des mêmes normes selon qu'elle s'adresse à l'Administration ou à l'entreprise. Il en est ainsi parce que les décideurs de l'Administration se préoccupent d'ordinaire davantage de la méthodologie, tandis que ceux de l'entreprise privée mettent en général l'accent sur des critères plus concrets. Par exemple, pour les dirigeants d'une PME de l'industrie laitière aux prises avec des difficultés financières aiguës, il importe peu que les consultants aient lu ou non la totalité des travaux et rapports d'enquête publiés par le ministère de l'Agriculture. Leur seule préoccupation est d'obtenir des résultats.

Autre exemple : dans les ministères du Québec, chaque section du cahier des charges (qualité du personnel, expérience similaire, prix, conformité au devis, etc.) est évaluée sur une échelle de 100 %. Le niveau d'acceptabilité est établi à 60 %; si tous les soumissionnaires obtiennent 60 %, c'est le plus bas soumissionnaire qui reçoit le contrat. Par conséquent, s'il faut 60 % pour l'ensemble des critères et que ce sont les prix qui font la différence par la suite, il sera inutile que le rédacteur investisse du temps et de l'argent dans le graphisme, par exemple.

Entre l'appel d'offres et la remise de la soumission, le donneur d'ouvrage tient souvent une réunion à laquelle sont convoqués les différents soumissionnaires. Tous les soumissionnaires sont sur un pied d'égalité lorsqu'ils ont le cahier des charges entre les mains, mais ceux qui assistent à la réunion ont un avantage supplémentaire. Ils peuvent ainsi connaître les expressions clés du donneur d'ouvrage. À l'occasion d'une de ces réunions tenues à Ottawa il y a quelques années, un représentant du ministère fédéral des Travaux publics et Approvisionnements, qui semblait bénéficier de beaucoup de prestige, a insisté à plusieurs reprises sur l'importance de « l'optimisation des ressources » et de « la satisfaction des clients ». Ces mots clés ont amené un soumissionnaire en quelque sorte à « faire le caméléon » en restructurant son plan et en adaptant son vocabulaire à « l'environne-ment linguistique » des Travaux publics et Approvisionnements.

Contenu de la soumission

* Sommaire.

* Compréhension du mandat.

* Démarche d'intervention.

* Méthodologie.

* Coûts.

* Expérience similaire.

* Ressources affectées au projet.

* Annexes.

Le *Sommaire*, qui comporte environ 250 mots, est immédiatement suivi d'une section intitulée *Compréhension du mandat* (aussi : « Intro-duction », « Problématique »), dans laquelle l'auteur résume sa percep-tion de la situation à la lumière d'informations recueillies à l'occasion d'entrevues, d'entretiens téléphoniques ou pendant la réunion des soumissionnaires. Cette entrée en matière contient la description du mandat lui-même : but de la soumission, problèmes à résoudre et am-pleur du travail.

La section intitulée *Démarche d'intervention* reflète a) les valeurs auxquelles croit le soumissionnaire (ex. : le fait de considérer les em-ployés comme ayant toujours un potentiel ou de croire que même les employés alcooliques ont une contribution à apporter à l'entreprise, etc.) et b) les critères de qualité, s'il y a lieu de les préciser. La descrip-tion de ces critères est susceptible d'impressionner favorablement le client, qui pourra apprécier le souci du soumissionnaire de respecter les règles de l'art dans son domaine. Les dangers auxquels n'échappent pas tous les rédacteurs dans cette section sont la fatuité (par exemple, sous forme d'autofélicitations) et le manque de simplicité.

La *Méthodologie* est la partie du document où l'auteur convainc le lecteur qu'il sait comment résoudre le ou les problèmes et où il propose un plan d'action (étapes de réalisation, ressources matérielles et humai-nes, heures-personnes). Le texte est souvent rehaussé de graphiques, notamment du graphique de Gantt[7] et du graphique de jalonnement des réalisations, qui visent à convaincre le client que les travaux seront effectués de façon ordonnée et selon les échéances.

Le graphique de Gantt a surtout pour but de démontrer la durée des activités, la possibilité de les réaliser simultanément, ainsi que le temps de flottement séparant chacune d'elles (ex. : l'écart entre la durée de cuisson des pommes de terre et celle d'un steak).

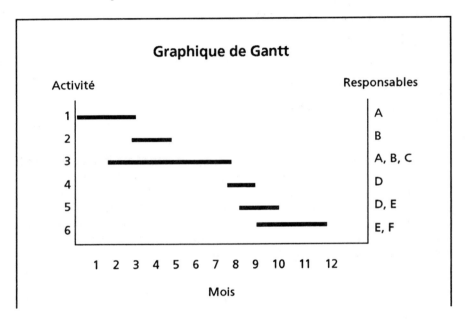

7. C'est le graphique de Gantt, aisément compréhensible par le profane, que l'on retrouve habituellement dans les soumissions. Dans un premier temps, cependant, le soumissionnaire élabore généralement soit un graphique de cheminement critique (CPM -Critical Path Method), soit un graphique PERT (Program Evaluation Review Technique). Le premier a été mis au point par la Marine américaine dans le cadre du projet Polaris et le second, par la société E.I. du Pont de Nemours à l'occasion du déménagement d'une usine. Plus techniques que celui de Gantt, ces graphiques ont pour avantage de faire ressortir les activités dites « critiques » parmi l'ensemble des activités d'un projet.

Voici une autre façon de présenter le graphique de Gantt :

Activités	Responsables	Semaines
		1 2 3 4 5 6 7 8
1. Lecture de la documentation	• Tous les membres de l'équipe	
2. Discussion en équipe	• Tous les membres de l'équipe	
3. Élaboration du plan	• B. Leblanc	
4. Rédaction du rapport	• B. Leblanc et G. Primeau	
5. Saisie du rapport	• M. Malchelosse	
6. Lecture définitive	• Tous les membres de l'équipe	

FIGURE 2 – **Graphique de Gantt**

Quant au graphique de jalonnement des réalisations, il sert à illustrer les points de chute dans le temps (ex. : carlingue en octobre, moteur en décembre) ou les étapes d'une réalisation quelconque.

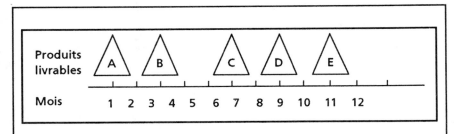

FIGURE 3 – **Graphique de jalonnement des réalisations**

Le mode de présentation de la section *Coût* d'une soumission varie selon les cahiers des charges. Il est nécessaire de suivre rigoureusement les instructions d'un cahier des charges pour que le donneur d'ouvrage puisse effectuer les comparaisons qui détermineront son choix. Le mode de ventilation coûts directs-coûts indirects, fréquent dans le secteur de la fabrication, est rare dans celui des services. Il se peut aussi que le donneur d'ouvrage veuille que les coûts soient répartis entre coûts récurrents et coûts non récurrents ou encore que les taxes soient omises (ou indiquées à part).

Il va de soi que la direction souhaite connaître le coût global d'un travail. Mais elle est tout aussi intéressée à savoir si le soumissionnaire a énuméré tous les éléments de coût et si ses estimations sont raisonnables. « Dépassement des coûts » et « coûts cachés » sont deux concepts détestables aux yeux d'un gestionnaire.

En général, le coût d'un projet se subdivise ainsi :

1. Honoraires	(nombre d'heures de travail par catégorie d'employés pour chaque étape du projet multiplié par le taux horaire)
2. Frais de fonctionnement	(frais de séjour et de déplacement, frais d'utilisation d'un ordinateur, d'un équipement de bureau ou d'un laboratoire, interurbains, etc.)[8]
3. Dépenses en capital	(prix moins valeur de rebut à la fin du projet, le cas échéant)
4. Frais généraux	(loyer, avantages sociaux, coût de publication des rapports relatifs au projet, etc.)[9]

---

8. Ces frais sont souvent calculés empiriquement : meilleure estimation + 20 % x 2 !

9. Dans de nombreuses entreprises, les frais généraux représentent un pourcentage du total des frais relatifs aux trois catégories précédentes.

La section *Expérience similaire*, comme l'indique son nom, est consacrée à l'expérience utile de la personne ou de l'entreprise, envisagée non pas globalement, mais selon des volets identiques à ceux figurant au cahier des charges. Par exemple, si dans un cahier des charges, on exige de l'expérience en informatisation des activités comptables dans un centre d'accueil ainsi qu'en formation des préposés à l'hébergement et à la réadaptation, le rédacteur, dans sa soumission, doit répartir les données concernant son expérience entre ces volets.

1. Informatisation des activités comptables dans un centre d'accueil

    1.1 Centre d'accueil Pierre-Janet (avec nom et numéro de téléphone du directeur)

        • Nature et durée de l'intervention

    1.2 Centre d'accueil Jean-Guy-Chénier (avec nom et numéro de téléphone du directeur)

        • Nature et durée de l'intervention

•••

2. Formation des préposés à l'hébergement et à la réadaptation

    2.1 Centre d'accueil Luc-Désilets (avec nom et numéro de téléphone du directeur)

        • Nature et durée de l'intervention

•••

La section _Ressources affectées au projet_ est souvent présentée au moyen d'un organigramme, en particulier s'il s'agit de plus de trois personnes.

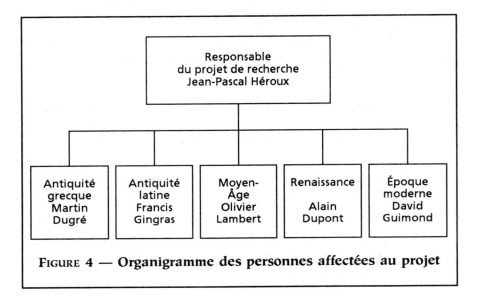

FIGURE 4 — **Organigramme des personnes affectées au projet**

L'organigramme est suivi d'une courte description des compétences de chacun des membres de l'équipe.

a) Antiquité grecque : Martin Dugré

M. Dugré, titulaire d'un doctorat en histoire de l'université Laval, aura la responsabilité de former un corpus de textes d'environ cinquante auteurs grecs. Membre du comité d'étude sur les humanités du Conseil national des arts depuis 197• et auteur de _L'hégémonie grecque_ (Dupont, Paris, 198•), M. Dugré fait actuellement partie d'une équipe chargée de réviser la traduction française des oeuvres complètes de Platon dans la collection La Pléiade.

b) Antiquité latine : Francis Gingras

...

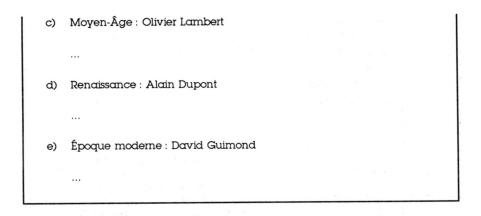

c)   Moyen-Âge : Olivier Lambert

...

d)   Renaissance : Alain Dupont

...

e)   Époque moderne : David Guimond

...

Qu'on soit dans un contexte scolaire, administratif ou commercial, il est toujours suggéré de faire figurer dans l'organigramme un comité consultatif.

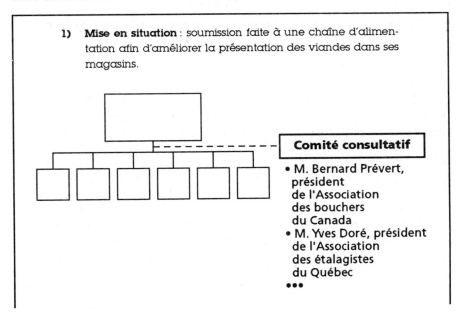

1)   **Mise en situation** : soumission faite à une chaîne d'alimentation afin d'améliorer la présentation des viandes dans ses magasins.

Comité consultatif

• M. Bernard Prévert, président de l'Association des bouchers du Canada
• M. Yves Doré, président de l'Association des étalagistes du Québec
•••

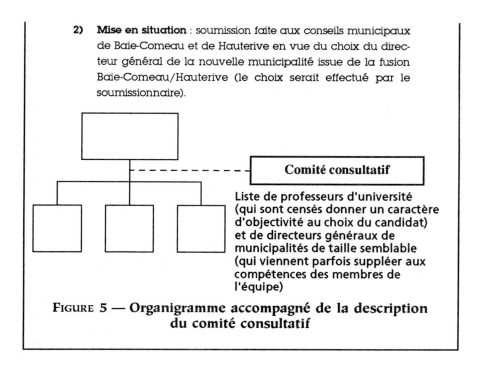

2) **Mise en situation** : soumission faite aux conseils municipaux de Baie-Comeau et de Hauterive en vue du choix du directeur général de la nouvelle municipalité issue de la fusion Baie-Comeau/Hauterive (le choix serait effectué par le soumissionnaire).

Comité consultatif

Liste de professeurs d'université (qui sont censés donner un caractère d'objectivité au choix du candidat) et de directeurs généraux de municipalités de taille semblable (qui viennent parfois suppléer aux compétences des membres de l'équipe)

FIGURE 5 — **Organigramme accompagné de la description du comité consultatif**

Les *Annexes* peuvent consister en curriculum vitae, calendriers très détaillés, photographies (ex. : dans le secteur de la fabrication, les photographies de prototypes faits pour d'autres clients), etc. Il est fortement déconseillé d'y faire figurer des lettres de recommandation. En effet, leur incidence sur le lecteur est faible, car elles sont plus souvent trop truffées de superlatifs, paraissent facilement manquer d'authenticité et nuisent parfois au rédacteur plus qu'elles ne l'aident. Quant aux curriculum vitae, il faut idéalement les refaire pour chaque soumission, en fonction des grands volets de celle-ci, et abandonner l'ordre chronologique qui caractérise les curriculum vitae traditionnels. Par exemple, s'il s'agit d'une soumission portant sur la construction d'un réseau téléphonique dans le Grand Nord canadien et que le soumissionnaire a acquis de l'expérience dans ce domaine (ex. : en Iran en 198•), cette information ne doit pas être mise à la p. 6 du curriculum vitae, mais bien au début. Si l'ordre chronologique présente une difficulté, il vaut mieux l'omettre complètement et n'indiquer que la durée des expériences décrites.

Expérience similaire

• Construction d'un réseau téléphonique en Iran (18 mois)

•••

Mise en situation

Le ministère de l'Industrie, du Commerce et de la Technologie lance un appel d'offres pour la tenue d'une enquête sur
l'état de l'automatisation et de l'informatisation de la PME
manufacturière au Québec. À titre de spécialiste en gestion des
nouvelles technologies, vous rédigez une soumission en tenant
compte des critères contenus dans l'appel d'offres, qui sont les
suivants :

• L'enquête doit porter sur la PME manufacturière au Québec
dans les secteurs habituellement couverts par les divers ministères à vocation économique.

• Elle doit faire ressortir les aspects matériels et immatériels
de la situation actuelle ainsi que le degré d'implantation
des nouvelles technologies.

• Quatre mois après la signature du contrat, le
soumissionnaire retenu devra produire un rapport qui ser-
vira d'inventaire de base aux fins de l'orientation des avis
sectoriels et des programmes d'aide gouvernementale relativement à la PME manufacturière au Québec.

• Le soumissionnaire doit fournir des preuves de compétence
reconnues.

**Soumission présentée au
ministère de l'Industrie, du Commerce
et de la Technologie**

**État de l'automatisation
et de l'informatisation
de la PME manufacturière
au Québec**

Gérard Cajolet
Guy Rainville
Groupe Sigma sur la PME
Montréal

Problématique

À une époque de grands bouleversements économiques
à travers le monde, la PME représente un facteur économique
clé de la politique gouvernementale actuelle. Cette importance
accrue repose sur la modernisation des procédés de production
et de gestion, notamment dans les secteurs d'échanges interna-
tionaux. *PME* et *technologie* sont donc devenus deux outils de
concurrence fondamentaux sur le plan international. Il est à
prévoir par ailleurs que ces outils joueront un rôle stratégique
majeur dans les restructurations économiques nationales,
comme le souligne R. Howard dans un récent numéro de la
Harvard Business Review.

Les PME forment plus de 95 % de la base industrielle du
Québec. Or, les pouvoirs publics devront contribuer à
l'émergence d'un modèle de PME manufacturière québécoise
qui soit, d'une part, économiquement et techniquement viable
dans l'arène intenationale et, d'autre part, conforme à nos valeurs, à nos choix et à nos réalités socio-économiques.[10]

Cette constatation nous amène à poser la question suivante : Quel est l'état de la PME manufacturière québécoise ? Et
plus précisément, quelle est l'évolution de sa situation technologique[11] en regard d'une concurrence internationale accrue ?
Quels sont ses points forts et ses points faibles ? Quels retards
accuse-t-elle ?

---

10. Nous avons exclu de notre exemple de soumission les principaux travaux
des soumissionnaires s'inscrivant dans cette problématique.
11. Dans l'entreprise, la technologie constitue un mode stratégique de concurrence. On entend par technologie l'ensemble des connaissances techniques
et scientifiques, la politique et la procédure organisationnelle de même que
l'équipement, qui ont pour but commun la production de biens et services
améliorés ou nouveaux. À titre indicatif, nous présentons une grille de
classification des principales nouvelles technologies de production selon
leur champ d'application dans l'entreprise (annexe 1).

La notion de « retard » technologique des entreprises, surtout s'il est question de PME québécoises, représente un important objet de préoccupation chez nombre d'analystes (en particulier lorsqu'il s'agit d'évaluer le nombre de robots, les types d'utilisation de MOCN, etc.). Il y a en outre lieu de s'interroger sur la pertinence des résultats obtenus jusqu'à maintenant sur la PME manufacturière, surtout lorsqu'on effectue des comparaisons secteur par secteur. En effet, les indicateurs utilisés permettent-ils de cerner adéquatement l'ensemble de la réalité technologique de sorte que nos PME manufacturières puissent participer activement à l'économie internationale ? En somme, bien qu'il y ait lieu d'être vigilant dans un contexte de concurrence internationale, notre vigilance doit reposer sur une profonde connaissance de la concurrence elle-même. De surcroît, cette connaissance exige qu'on raffine préalablement les outils propres à mesurer l'état technologique de la PME en constante mutation.

La présente proposition de recherche s'inscrit dans cette voie. Elle vise à répondre aux questions suivantes :

- Quels sont les points forts et les points faibles de la PME manufacturière québécoise sur le plan technologique ?

- Portent-ils sur l'état et l'évolution de l'équipement, l'organisation de la recherche et du développement, le profil technique et le degré de formation du personnel, les politiques et procédures technologiques (ex. : contrôle de qualité, formation technique de la main-d'oeuvre, niveau général de renouvellement des éléments d'actif technologiques) ?

- Quel est le degré de réussite des divers programmes d'aide gouvernementale à la promotion technologique dans la PME et quel en est l'effet sur la concurrence ?

- Dans quelle mesure les propriétaires-dirigeants connaissent-ils ces programmes ?

- Quelles modifications doit-on apporter pour accroître l'efficacité de ces programmes, selon les secteurs visés ?

Afin de répondre à ces questions, il nous faut avant tout décrire en détail : 1. la situation de nos PME manufacturières sur le plan technologique, y compris en matière d'équipement, de personnel technique, de procédés et de savoir-faire techniques selon les secteurs; 2. la concurrence et le contexte de mise en oeuvre des nouvelles technologies; 3. la stratégie d'investissement et de financement de ces nouvelles technologies, y compris le rôle de l'aide gouvernementale. En résumé, comment la *PME* et la *technologie* peuvent-elles le mieux servir d'instruments stratégiques de développement économique ?

À cette fin, il faut disposer d'une description *détaillée* et *à jour* de l'état de la concurrence dans les divers secteurs de PME et connaître l'effet précis des programmes de l'État - ce qui n'est pas le cas actuellement ici, de même que dans beaucoup d'autres pays industrialisés. Ainsi, il est impossible de connaître l'incidence maximale de l'aide gouvernementale, que ce soit sous forme d'avis sectoriels aux organismes, de programmes d'aide financière aux PME ou encore d'appuis à nos entreprises sur le plan international.

En conséquence, nous comptons mener des études à intervalles réguliers, soit tous les deux ans, pour mesurer l'état et l'évolution des PME québécoises sur le plan technologique dans des secteurs importants de l'économie québécoise, de façon à développer et à améliorer les programmes destinés à promouvoir nos PME au Canada et à l'étranger. L'étude permettra de saisir les réalités technologiques actuelles et futures de nos PME, ce qui contribuera à donner un meilleur fondement aux interventions de l'État, encore trop souvent basées sur des indicateurs comparatifs incomplets.

Nous espérons que la problématique décrite ci-dessus reflète fidèlement les préoccupations professionnelles des responsables des divers ministères et organismes à vocation économique du Québec, notamment du ministère de l'Industrie, du Commerce et de la Technologie. D'autres intervenants pourraient être invités à participer à une telle étude selon leurs besoins et leurs ressources. Un tel système d'enquête pourra devenir un outil mis à la disposition des divers participants. Cette mesure aura pour autre effet bénéfique de diminuer les chevauchements ainsi que les contradictions entre les mesures d'aide qui représentent, chacune à leur façon, un apport non optimal de ressources gouvernementales de plus en plus rares.

Proposition de recherche

Objectifs de l'enquête :

- établir un *inventaire technologique* des PME manufacturières au Québec et le mettre à jour régulièrement;

- mieux connaître les *raisons à l'origine de l'adoption de nouvelles technologies de production* dans ces PME;

- à partir des divers indices de compétitivité, décrire l'*évolution de la position concurrentielle* des PME manufacturières québécoises sur le plan international;

- évaluer le *niveau d'efficacité des divers programmes d'aide gouvernementale* à la PME manufacturière;

- déterminer *les secteurs à privilégier* en matière d'aide gouvernementale à la PME, y compris le type d'aide le plus approprié.

Méthodologie

Échantillon

L'enquête, menée tous les deux ans, portera sur les *20 secteurs industriels* les plus importants de la PME manufacturière québécoise (< 250 employés). Ces secteurs seront divisés en deux groupes de dix secteurs. Le cycle d'enquête commencera en 1991 et, chaque année, 400 entreprises seront échantillonnées par groupe de dix secteurs. Le choix des secteurs ainsi qu'un résumé de la procédure de sélection apparaissent à l'annexe 2.

Mode d'enquête

Nous considérons l'*entrevue téléphonique* comme le mode d'enquête le plus approprié pour atteindre nos objectifs. Il permet de communiquer avec un nombre suffisamment élevé d'entreprises pour valider les statistiques et faire en sorte que la représentativité des entreprises des divers secteurs soit celle qui avait été prévue au début de l'enquête - situation difficile à confirmer au moyen de la poste. Bien que l'entrevue téléphonique soit moins approfondie que l'entrevue menée sur le terrain et qu'elle engendre des renseignements moins étoffés, elle permet de recueillir toutes les données nécessaires aux fins de la mise en oeuvre du projet tout en entraînant des coûts beaucoup moins élevés.

Dimensions de l'enquête

Voici les principales dimensions de l'enquête qui feront l'*objet de discussions* supplémentaires avec les destinataires de notre rapport final :

1. *Informations générales sur l'entreprise*
   - Secteur d'activité
   - Taille (personnel)
   - Lieu
   - Propriétariat ou filiale

2. *Environnement de marché*
   - Nature des produits
   - Caractéristiques de la clientèle et des marchés
   - Nature de la concurrence
   - Relations avec les fournisseurs de matières premières et d'équipement
   - Principaux objectifs stratégiques

3. *Inventaire des technologies existantes*

   a Équipement et production
   - Type de production et caractéristiques
   - Matériel informatique actuel (y compris les logiciels)
   - Innovations récentes (3 ans)
   - Innovations à venir (3 à 5 ans)
   - Principaux avantages et désavantages technologiques (niveau **a**)

   b Politique et procédure technologiques officielles
   - Contrôle de qualité
   - Recherche et développement
   - Conception
   - Formation de personnel technique
   - Relation commercialisation-production
   - Entretien

- Relations avec les fournisseurs d'équipement
- Santé et sécurité
- Cueillette d'information technique externe
- Diffusion interne d'information technique
- Principaux avantages et désavantages technologiques (niveau **b**)

c Personnel et savoir-faire techniques
- Recensement du personnel technique (formation et expérience)
- Personnel technique clé
- Répertoire du savoir-faire technique interne
- Degré d'autosuffisance du savoir-faire technique interne
- Perception du risque technique chez le personnel
- Principaux avantages et désavantages technologiques (niveau **c**)

4. *Investissement et financement en matière de nouvelles technologies*

    a Investissement
    - Principales raisons d'investir dans de nouvelles technologies (3 à 5 ans)
    - Niveau d'investissement prévu (en proportion des ventes et de l'actif)
    - Critères de rentabilité
    - Nature des risques financiers ou technologiques
    - Connaissance des divers programmes publics
    - Recours à des programmes publics (oui ou non, lesquels, évaluation)

    b Financement
    - Structure du financement en matière de nouvelles technologies (3 à 5 ans)
    - Pourcentage, court terme et long terme
    - Pourcentage, financement interne et externe
    - Pourcentage, aide financière publique (préciser le ou les programmes visés)

   c Brève description de la situation financière globale de l'entreprise
- Évolution des ventes pendant 3 ans (%)
- Évolution de l'actif pendant 3 ans (%)
- Indice de rentabilité pendant 3 ans

Échéances

Nous exécuterons le projet dans les quatre mois suivant la date de signature du contrat.

1er mois :
- Organisation de séances d'information et de travail
- Conception du questionnaire et préenquête
- Formation de l'équipe d'enquêteurs
- Détermination des secteurs
- Détermination des PME qui formeront l'échantillon

2e et 3e mois :
- Phase intensive d'échantillonnage
- Analyse des résultats (début)

4e mois :
- Analyse des résultats (fin)
- Rédaction du rapport définitif
- Présentation publique du rapport définitif
- Diffusion du rapport définitif (versions intégrale et abrégée)

Budget

Le coût de l'enquête s'élèvera à 97 952 $[12], répartis comme suit :

Budget et échéances

Nature des travaux et échéances		Personnel	Déplacements	Matériel et services (téléphone, locigiels, papeterie)
1er mois				
Séances, conception du questionnaire, préenquête et détermination des secteurs et de l'échantillon	• Chercheurs : 20 j-h x 450 $	9 000 $	1 300 $	1 600 $
	• Assistants de recherche : 16 j x 134,50 $	2 152		
	• Secrétariat : 7 j x 112,50 $	787		600
2e et 3e mois				
Phase d'échantillonnage et début de l'analyse des résultats	• Chercheurs : 16 j-h x 450 $	7 200	1 800	
	• Assistants de recherche : 30 j x 134,50 $	4 035		
	• Enquêteurs: 90 j-h x 112,50 $	10 125		4 000
	• Analyste : 10 j x 134,50 $	1 345		
	• Secrétariat : 7 j x 112,50 $	787		800
4e mois				
Fin de l'analyse des résultats et rédaction du rapport définitif Présentation et diffusion du rapport définitif (1 500 exemplaires de la version intégrale et 5 000 de la version abrégée)	• Chercheurs : 36 j-h x 450 $	16 200		
	• Assistants de recherche : 16 j x 134,50 $	2 152	1 200	1 400
	• Analyste : 20 j x 134,50 $	2 690		
	• Secrétariat : 30 j x 112,50 $	3 375	600	13 500
		59 848 $	4 900 $	21 900 $
Total partiel				86 648 $
Frais administratifs (15%) (total partiel x 15/115)				11 302
TOTAL GLOBAL				97 952 $

---

12. Le budget des années subséquentes sera rajusté pour tenir compte des coûts de préparation du questionnaire; un rajustement à la hausse sera effectué si l'inflation ou certains changements demandés le justifient.

ANNEXE 1
CLASSIFICATION DES NOUVELLES TECHNOLOGIES SELON LEUR NIVEAU D'APPLICATION ET DE COMPLEXITÉ DANS LES ENTREPRISES

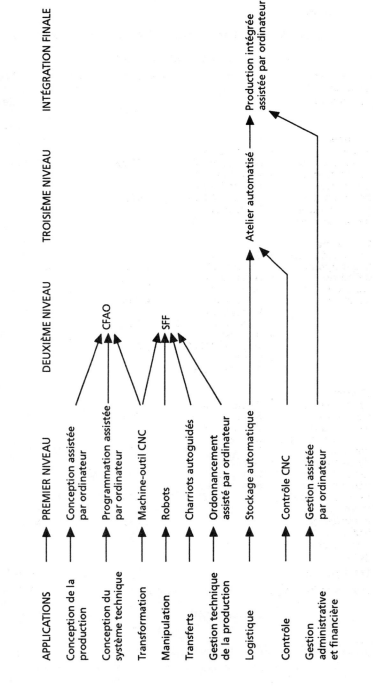

ANNEXE 2
CHOIX DES SECTEURS INDUSTRIELS
RETENUS POUR L'ÉTUDE

Résumé de la procédure de choix

- Nombre total de secteurs (3 chiffres) : 181;
  critère de représentativité : élimination des secteurs de moins de 30 entreprises;
  critère de la tâche des entreprises : élimination des secteurs limités à la grande entreprise.

- Des 49 secteurs restants, 20 ont été retenus selon les critères suivants :
  – proportion de PME dans le secteur;
  – contribution à l'emploi à l'intérieur du secteur.

	Secteurs retenus (CAE)	Nombre d'établis- sements	% PME	% emploi PME	% valeur ajoutée PME
101	Viandes et volailles	169	71,0	44,6	37,5
169	Autres produits en matière plastique	233	66,9	68,5	64,2
171	Cuir et produits connexes	191	65,5	65,3	61,1
182	Fils et tissus tissés	64	40,6	14,9	11,6
244	Vêtements pour dames	693	82,3	90,4	86,7
251	Scieries et ateliers de rabotage	355	63,4	48,0	35,3
254	Portes et châssis, et autres bois ouvrés	581	58,5	78,4	74,2
261	Meubles de maison	469	53,7	72,0	66,4
281	Impressions commerciales	855	53,2	57,9	44,4
304	Emboutissage, matriçage et revêtement en métal	189	68,8	58,5	40,2
306	Articles de quincaillerie et d'outillage	155	61,9	70,1	69,8
308	Ateliers d'usinage	340	58,2	89,9	90,4
321	Aéronefs et pièces	58	55,2	12,2	5,0
325	Pièces et accessoires d'automobiles	61	50,8	38,6	32,1
335	Équipement de communication	91	48,4	11,4	5,4
336	Machines de bureau	32	75,0	51,3	21,2
337	Matériel électrique d'usage industriel	71	49,7	33,3	23,2
374	Produits pharmaceutiques et médicaments	45	55,6	30,0	7,8
391	Matériel scientifique et professionnel	146	56,2	72,4	65,7
393	Articles de sport et jouets	92	64,1	43,2	43,6
	TOTAL	4 890			
	MOYENNE PAR SECTEUR	245	60,0	48,5	44,3

La proposition écrite

La proposition écrite comprend : 1. un *sommaire* d'au plus 250 mots (facultatif si la proposition écrite est courte); 2. une *introduction*, dans laquelle l'auteur énonce le but du document, le ou les problèmes à résoudre, l'ampleur du travail, la méthodologie, etc., en insistant sur l'aspect quantitatif (ex. : on n'écrira pas qu'un problème de conception ralentit la production, mais que l'insuffisance de productivité entraîne une perte 4 500 $ par jour); 3. une description du *programme proposé* (ou des solutions de rechange), suivie d'une analyse coûts-avantages; 4. une description de l'*expérience similaire*; et, le cas échéant, des *annexes*.

L'énoncé du problème (ex. : la vétusté d'un appareil ou des frais de chauffage exorbitants) représente l'élément le plus important de la proposition écrite. En effet, comment peut-on rédiger une bonne proposition écrite sans circonscrire convenablement le problème ? Il s'agit en gros de résumer la situation et les besoins du client à la lumière d'informations recueillies auprès de ce dernier. (À cet égard, l'ampleur d'un problème peut grandement influer sur l'opinion du lecteur; par exemple, l'objectif pourrait être d'éviter les conséquences graves qu'aurait le mauvais fonctionnement d'un appareil sur la productivité ou sur la qualité d'un produit ou d'un service.)

Après avoir administré la preuve que vous comprenez le problème, vous devez montrer au lecteur comment vous entendez le résoudre. Il s'agit d'exposer la solution proposée, d'indiquer ses étapes et de démontrer que vous disposez des ressources humaines et matérielles nécessaires pour résoudre le problème. Il est conseillé de donner à votre lecteur une vue d'ensemble du projet, de sa première à sa dernière journée.

Le lecteur apprécie qu'on lui présente un « plan d'action » et l'auteur est bien avisé quand il rehausse son texte de graphiques, notamment du graphique de Gantt et du graphique de jalonnement des réalisations.

Pour le client, ces graphiques signifient que le projet vous tient à coeur et que vous avez réfléchi aux embûches susceptibles de se présenter au cours de l'exécution des travaux.

Le client exige souvent qu'on lui propose un système de contrôle de la qualité, et il faut donc être en mesure de répondre à des questions de sa part quant aux modalités d'évaluation du travail accompli. Par « contrôle de la qualité », on entend le plus souvent les évaluations techniques menées périodiquement par le personnel engagé dans le projet ou par les représentants du client potentiel.

Comprendre le problème et décrire le mode d'action prévu pour le résoudre sont les deux premiers éléments clés en rédaction de propositions écrites. Le troisième consiste à démontrer au client que vous avez acquis une expérience utile en effectuant un travail semblable. Cette partie de la proposition écrite s'intitule « Expérience similaire » (v. La soumission). Enfin, beaucoup de propositions se terminent par un budget détaillé, d'ordinaire présenté en annexe.

Les questions financières sont traitées parfois dans un addenda, ou dans un contrat à part. Quoi qu'il en puisse être, avant de commencer à travailler pour un client, il est essentiel de s'entendre avec lui par écrit sur des points tels que les montants d'argent en cause, le nombre d'heures de travail, les honoraires, le pourcentage des bénéfices, l'échéance, le mode de paiement et les pénalités pour retard ou défaut d'exécution. Pour rédiger des conventions sur de telles questions, on recourt la plupart du temps aux services d'un avocat.

La forme des propositions écrites varie selon la complexité des dossiers. Ainsi, il arrive parfois que le représentant ne remette au client qu'une lettre de transmission, qui est en fait un sommaire déguisé.

[Date et lieu]

[Mentions de caractère]

Objet : Conversion de la chaudière au gaz naturel

Monsieur,

L'analyse du projet de conversion de votre chaudière au gaz naturel indique que cette conversion vous permettrait de réaliser des *économies annuelles de* ... *$*.

De surcroît, le projet, dont le *coût global s'élève à* ... *$*, pourrait s'autofinancer grâce à une subvention de ... $ et à un prêt de ... $ remboursable sur une période de X ans à partir des économies réalisées.

Gaz-Québec vous offre un *contrat de cinq ans* qui vous permettra de vous approvisionner à une source d'énergie propre et abondante.

Nous vous prions d'accepter, Monsieur, l'expression de nos sentiments distingués.

[Titre et signature]

Dans certains cas, lorsque les dossiers sont simples, on peut recourir à des formules préimprimées intitulées par exemple « Étude de rentabilité », au lieu de rédiger une lettre ou une proposition écrite sous forme de lettre ou d'étude.

Gaz-Québec **Économie**
Propreté
Sécurité

Étude de rentabilité

Nom du client : _____
Adresse : _____
_____

1. Volume converti _____ m^3
2. Économie annuelle _____ $
3. Coût de conversion _____ $
4. Frais d'examen par le consultant _____ $
5. P.S.C. subvention _____ $
6. Investissement net _____ $
7. % subvention p/r coût de la conversion _____ %
8. Période de recouvrement _____ AN

Sur réseau ☐

Hors réseau ☐ Rentabilité du projet _____ $

Rentabilité de l'ensemble des projets _____ $

Autorisation : _____ Date : _____

Remarques : _____
_____
_____

FIGURE 6 — **Formule de proposition**

Une telle formule, qui contient des informations brutes, c'est-à-dire non commentées, sert de document de référence dans une démarche de vente où l'élément de persuasion est verbal.

Une *proposition écrite* est dite complète si le lecteur peut comprendre l'offre en l'absence du représentant (ex. : propositions écrites destinées aux membres d'un comité qui n'ont pas rencontré le représentant).

Fibrotech inc.
4966, rue Bellefeuille
Trois-Rivières (Québec)
G9A 5V1

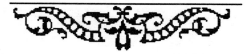

Le 7 janvier 199•

Monsieur Jean Tolkien

Directeur

Centre d'accueil Michel-Isle

1455, boul. du Carmel

Trois-Rivières (Québec)

G8Z 3R7

Objet : Proposition écrite

Monsieur le Directeur,

J'ai appris par *Le Nouvelliste* du 21 décembre dernier que vous entreprendrez bientôt d'importants travaux de rénovation. Selon un de vos adjoints, M. Yves Bergeron, avec qui j'ai eu l'occasion de m'entretenir par téléphone la semaine dernière, tout indique que vous remplacerez les tapis des différents pavillons du Centre. Or, saviez-vous que de nombreux progrès technologiques ont été réalisés ces dernières années dans la fabrication des fibres de tapis ?

La plupart des détaillants vous offriront une gamme de tapis aux couleurs, à la contexture et aux motifs variés, dont l'apparence est susceptible de plaire. Cependant, rares sont ceux qui vous conseilleront quant aux diverses *propriétés* des fibres elles-mêmes. Saviez-vous que les tapis les plus chers présentent dans la majorité des cas un indice d'inflammabilité très faible ?

Fibrotech inc. se spécialise dans la recherche sur les fibres employées dans l'industrie du tapis et conseille diverses entreprises sur les choix les plus efficaces et les plus rentables en fonction de leurs besoins.

Proposition

Je vous invite à faire appel à nos experts-conseils qui vous aideront à choisir les tapis correspondant le mieux à vos besoins.

Le choix des fibres

Dans l'industrie du tapis, on a recours à trois types de fibres : les fibres naturelles (ex. : la laine et le coton), les fibres artificielles (ex. : la rayonne) et les fibres synthétiques (ex. : le nylon et les polyesters). Chaque catégorie présente des avantages, que ce soit en matière de résistance aux acides ou à l'humidité, d'inflammabilité ou, bien sûr, de coût. Et chaque immeuble possède des caractéristiques uniques. Par exemple, s'il faut maintenir l'humidité à un niveau stable pendant une opération commerciale ou industrielle, le seuil d'absorption de la fibre constitue un critère essentiel. Il va de soi que la résistance de la fibre ne sera pas un critère aussi important dans une chambre à coucher ou une salle de lecture que dans un corridor achalandé.

Une erreur dans le choix de la fibre peut entraîner des dépenses d'entretien et de remplacement considérable, ou même, comme dans le cas de l'incendie du foyer Joseph-Mathieu en novembre 199•, des pertes de vie. Cet incendie n'a-t-il pas pris naissance dans un tapis ?

Calendrier

Pour déterminer le type de fibre le plus adéquat aux besoins du Centre d'accueil Michel-Isle, il faut prévoir cinq jours de travail, soit deux jours pour l'examen des lieux et trois jours pour l'analyse des nombreuses fibres offertes dans le commerce, afin que les tapis choisis soient aussi durables et économiques que possible.

Honoraires

Vous n'aurez à payer que les honoraires de notre conseiller et de notre recherchiste. Je suis convaincu que ces honoraires seront nettement inférieurs à des frais d'entretien et de remplacement élevés. Les honoraires de nos experts conseils se répartissent ainsi :

Conseiller en textile	500 $
Recherchiste	450 $
	950 $

(montant à payer dans les trente jours de la réception de notre rapport)

Expérience de Fibrotech inc.

Les deux personnes affectées au projet seraient M. Max Boisjoli, conseiller en textile, et Mme Johanne Gauthier, recherchiste :

Max Boisjoli — ing., M. Sc. – biomembranes artificielles (Université McGill); trois années au Centre de recherche de Dominion Textile, à Montréal; deux ans chez Fibrotech inc.

Johanne Gauthier — bacc. en photobiophysique (UQTR); deux années au Laboratoire de recherche de E.I. du Pont de Nemours à Philadelphie; un an chez Fibrotech inc.

Jusqu'à maintenant, Fibrotech inc. a conseillé trente-sept organismes de votre secteur d'activité (quatorze centres d'accueil et vingt-trois hôpitaux). Tout dernièrement, Fibrotech inc. est intervenue dans le dossier de l'hôpital Fernbach, où des tapis achetés il y a à peine deux ans étaient déjà très usés. À la suite de notre intervention, la direction de l'hôpital a acheté un nouveau tapis en fibre synthétique très économique et extrêmement durable, dont la durée de vie devrait être d'au moins dix ans.

Espérant que vous donnerez une suite favorable à ma proposition, je tiens à vous assurer que l'examen des lieux s'effectuera sans nuire au déroulement normal des activités du Centre.

Je vous prie d'accepter, Monsieur le Directeur, mes salutations les plus distinguées.

Le président,

Normand Thibault

Normand Thibault

Conclusion

Nous nous sommes fixé comme objectif de rédiger un ouvrage qui permette au lecteur d'organiser ses idées par écrit, de les hiérarchiser en fonction d'une stratégie de communication, de distinguer l'essentiel de l'accessoire et, enfin, de rédiger et de critiquer rapidement un rapport. Nous osons espérer que ces objectifs ont été atteints.

Dans une perspective pédagogique et dans un dessein de renforcement, nous avons élaboré un cahier d'exercices de même qu'un corrigé à l'intention du professeur.

Nous présentons ci-après une liste de contrôle dans laquelle figurent les principales questions que doit se poser le gestionnaire au moment de rédiger la confirmation de son mandat et son rapport. Nous espérons qu'elle sera utile au lecteur et que les conseils contenus dans ce livre lui permettront d'accroître l'efficacité de ses rapports.

RÉDACTION DE RAPPORTS

Liste de contrôle

La confirmation de mandat

	OUI	NON	SANS OBJET	REMARQUES
Y AVEZ-VOUS PRÉCISÉ :				
• le *but* du rapport ?				
• les *échéances* ?				
• la *nature* de votre intervention :				
• informer ?				
• analyser ?				
• recommander ?				
• le *caractère* du rapport :				
• préliminaire ?				
• définitif ?				
• les *ressources* mises en œuvre :				
• personnes à consulter ?				
• documents à consulter ?				
• le degré de *confidentialité* ?				

Les destinataires

- Quels sont le destinataire principal (la personne à qui s'adresse le document) et les destinataires secondaires (les personnes susceptibles de lire le rapport) ?

- Quelles sont les responsabilités, la formation et les autres caractéristiques des destinataires ?

- Que savent-ils déjà ?

- Que veulent-ils au juste ?

- Qu'est-ce qui est susceptible de les indisposer ?

- Quel est l'état de vos relations avec eux ?

- Combien de temps peuvent-ils consacrer à l'examen du rapport ?

La structure du rapport

Introduction

	OUI	NON	SANS OBJET	REMARQUES
Y AVEZ-VOUS PRÉCISÉ :				
• la nature du problème ?				
• le but du rapport ?				
• l'origine du mandat ?				
• les délais d'exécution ?				
• les limites du rapport ?				
• les termes techniques ?				
• la méthodologie ?				

Développement

	OUI	NON	SANS OBJET	REMARQUES
QUELS SONT VOS CRITÈRES D'ORGANISATION : • causes et conséquences ? • chronologie ? • comparaison des similitudes ? • comparaison des divergences ? • énumération des solutions (de la moins bonne à la meilleure) ? • problèmes et solutions ? • des éléments familiers aux éléments non familiers ? • des éléments moins importants aux plus importants ? • aire spatiale ? • fractionnement d'activités ? • divisions administratives ?				

	OUI	NON	SANS OBJET	REMARQUES
Y A-T-IL LIEU DE RECOURIR À DES PROCÉDÉS VISUELS :				
• Photographies ?				
• dessins ?				
• diagrammes ?				
• cartes ?				
• tableaux ?				
• graphiques ?				

Conclusion et recommandations

	OUI	NON	SANS OBJET	REMARQUES
AVEZ-VOUS PRÉSENTÉ :				
• la synthèse des principaux faits ?				
• les principales :				
• lacunes ?				
• limites ?				
• perspectives ?				
• applications ?				
• les recommandations selon :				
• leur importance ?				
• la période d'implantation ?				
• l'importance des coûts ?				

AGMV Marquis
MEMBER OF SCABRINI MEDIA
Quebec, Canada
2003